J'AI ÉPOUSÉ
UN SERIAL KILLER

BILL FLOYD

J'AI ÉPOUSÉ
UN SERIAL KILLER

Traduit de l'anglais (États-Unis)
par Isabelle Maillet

PAYOT SUSPENSE

Titre original : *The Killer's Wife*
(St.Martin's Minotaur, New York)

© 2008, Bill Floyd
© 2008, Éditions Payot & Rivages
pour la traduction française
106, boulevard Saint-Germain – 75006 Paris

ISBN : 978-2-228-90334-9

Pour Amy

I

1 « On se connaît, non ? »

Arrêtée devant le rayon des surgelés où, parmi la profusion de plats préparés, j'essayais d'en trouver quelques-uns susceptibles de plaire à Hayden, je tournai la tête pour découvrir un homme d'un certain âge qui me dévisageait d'un air interrogateur. Le genre solide, resplendissant de santé. Dans les soixante-cinq ans, épaisse chevelure poivre et sel, pull sport sur un jean.

Appréhension sourde, diffuse.

Il était tard en ce vendredi soir – près de minuit, mon heure de prédilection pour faire les courses de la semaine car je limitais ainsi les risques de rencontres inopportunes. En général, je m'efforçais autant que possible d'éviter les échanges de platitudes, que ce soit avec mes voisins ou avec quiconque. En arrivant au supermarché Harris Teeter ce jour-là, quand les grandes portes vitrées avaient coulissé devant moi dans un murmure feutré digne du sas d'un vaisseau spatial, j'avais eu l'impression de pouvoir disposer de l'endroit pour moi toute seule, et j'avais savouré durant quelques instants ce sentiment de sécurité et de quiétude que procurent souvent les lieux publics lorsqu'ils sont désertés. Oh, bien sûr, j'étais loin d'être réellement seule : de jeunes employés piquaient du nez devant leur caisse et deux ou trois individus isolés (le style célibataire désœuvré) déambulaient au rayon des bières, essayant manifestement de tuer le temps avant d'aller retrouver leur canapé. L'un d'eux s'intéressa à mes fesses, et je le vis me suivre des yeux dans l'un des miroirs paraboliques accrochés aux poutrelles métalliques blanches qui quadrillaient le plafond de l'entrepôt. À mon âge, j'aurais sans doute pu juger son attitude flatteuse ; en l'occurrence elle me déstabilisa, aussi pressai-je le pas en poussant mon chariot. Le plus souvent, les clients qui parcouraient les allées du magasin la nuit étaient complètement enfermés dans leur bulle et aussi peu désireux de croiser mon regard que moi le leur. Ce qui me convenait parfaitement.

Mais cet homme m'observait toujours et sa question n'avait rien de grossier. Alors je secouai la tête en répondant : « Je ne crois pas.

— Vous êtes bien Leigh Wren ? »

En proie à un certain soulagement, je fouillai ma mémoire pour tenter de me rappeler où j'avais pu le croiser. C'est vrai, il ne me semblait pas inconnu. De nouveau, quelque chose s'éveilla au fond de ma conscience, un tressaillement vague et néanmoins insistant. Mes occasions de sortie étaient rares et la dernière devait remonter à une éternité ; la plupart du temps, ma vie tournait autour de Hayden et du bureau, ce dont je n'avais aucune raison de me plaindre, loin de là. Donc, raisonnai-je, j'avais dû rencontrer cet homme dans un contexte professionnel. Durant un instant, je me sentis embarrassée de ne pas pouvoir le remettre même si, à vrai dire, rien ne le distinguait vraiment du reste de la population masculine de Cary. Je n'avais aucun mal à imaginer son 4×4 sur le parking, la plaque d'immatriculation encadrée par un autocollant d'un poisson de Jésus et un autre pour la campagne Bush-Cheney.

« C'est moi, oui, répondis-je. Et vous êtes… ? »

Déjà, je lui tendais la main.

Au moment où il la serra, son regard changea, s'anima d'une lueur farouche. Il prit une profonde inspiration avant de débiter d'un trait : « Mon nom est Charles Pritchett. Et je n'ai jamais eu besoin d'en utiliser un autre, parce que je n'en ai jamais eu honte. Vous vous appelez en réalité Nina Mosley et, le 18 novembre 1997, votre mari, Randall Roberts Mosley, a assassiné ma fille Carrie. »

Le monde s'écroula brusquement autour de moi. Il me sembla que tout mon corps s'engourdissait, et pourtant je percevais toujours sur ma main la pression exercée par celle de Charles Pritchett, qui m'emprisonnait les doigts et me pinçait la peau. Je voulus me dégager mais il tenait bon, les yeux étincelant de colère. Il tremblait de la tête aux pieds, à présent. De toute évidence, il avait souvent imaginé cette scène, et maintenant qu'elle se produisait, il avait une réaction extrême qui le tétanisait et le galvanisait tout à la fois ; manifestement, M. Pritchett vivait un « grand moment ».

Et moi, je ne pouvais penser qu'à une chose : *Mon ex-mari, vous voulez dire.*

Impossible toutefois de recouvrer l'usage de ma voix. Ma gorge s'était nouée comme pour étouffer le hurlement effroyable qui ne manquerait pas de jaillir si j'ouvrais la bouche. Mes mâchoires crispées me faisaient mal. Je me sentais paniquée, nauséeuse, attirée à toute allure vers le néant d'une inconscience bénie. Je ne voyais même plus mon chariot à moitié rempli dans lequel s'entassaient sachets de fruits frais (du raisin blanc parce que Hayden détestait le noir, trop de pépins), viande et fromage sous vide, barres diététiques pour moi et céréales sucrées pour mon fils. En reculant, je heurtai le caddie, qui se déplaça sur ses roues voilées pour aller se loger entre mes fesses et la porte vitrée du congélateur. Sans me lâcher, Charles Pritchett reprit d'une voix de plus en plus forte :

« Il m'a fallu du temps pour vous retrouver, Nina, et pas mal d'argent aussi. Vous avez bien changé depuis la dernière fois où je vous ai vue, pendant le procès : vous vous êtes teint les cheveux, vous avez beaucoup maigri… Vous ne vouliez pas qu'on vous reconnaisse, hein ? Remarquez, je peux comprendre que vous ayez envie d'oublier votre passé. Mais moi, je n'ai pas cette possibilité, figurez-vous ! cracha-t-il. Je dois vivre chaque jour, chaque minute en sachant que ma fille n'est plus là. Qu'elle est morte. Oh, je sais ce que la police a dit, que c'est votre mari le seul responsable, sauf que je n'y crois pas ; votre innocence n'a jamais été prouvée de manière satisfaisante. Jamais, vous entendez ? C'est pour ça que je suis venu, Nina. Pour vous démasquer. Je vais mettre en pièces cette belle petite façade bien sage que vous vous êtes fabriquée, et je vais montrer à tout le monde qui vous êtes réellement.

— Excusez-moi… Tout va bien ? »

C'était le mateur, qui se tenait à quelques pas de nous. Un jeune caissier aux yeux exorbités se tenait légèrement derrière lui et tous deux nous considéraient d'un air inquiet. Le caissier paraissait survolté, comme s'il n'attendait qu'un prétexte pour sauter sur Pritchett et concrétiser les fantasmes d'aide à la veuve et à l'opprimé qui se bousculaient sans doute dans son cerveau d'adolescent. Le mateur, lui, semblait beaucoup plus calme ; son panier vert olive rempli de plats individuels pendait négligemment au bout de son bras, et toute son attitude exprimait une sorte de tension résignée laissant supposer qu'il s'était déjà trouvé au centre de telles confrontations et qu'il en était sorti vainqueur. Peut-être était-ce un ancien militaire. Ou un abonné aux rixes de bar.

Enfin, Pritchett libéra ma main puis reprit la parole, cette fois à l'adresse des deux candidats au rôle de preux chevalier. « Vous savez qui est cette femme ? qui était son mari ? Je parie que son nom vous dira quelque chose… » Il me brandit sous le nez un doigt osseux tandis que les mots jaillissaient de sa bouche en un flot ininterrompu. « Vous voulez qu'on prévienne la police, Nina ? Vous avez envie de dénoncer cet "incident" ? Allez-y, j'en serais ravi. Je ne demande qu'à expliquer aux autorités qui se cache dans cette ville depuis six ans. »

Le mateur en avait assez entendu. D'un geste déterminé, il posa son panier par terre avant de s'interposer entre nous. Je me plaquai plus étroitement contre le congélateur sans pouvoir quitter Pritchett des yeux. Des larmes coulaient sur ses joues et il semblait sur le point de s'effondrer, comme si le fardeau d'émotions dont il s'était déchargé l'avait vidé de toute son énergie. « Je sais pas quel est votre problème, monsieur, mais je crois que vous devriez laisser cette dame tranquille. »

Le jeune caissier intervint à son tour pour traiter Pritchett de brute. Celui-ci leva les mains, paumes vers le haut, et s'écarta de quelques pas. D'une voix plus ferme, il suggéra de nouveau d'appeler la police. À la chanson des Commodores diffusée par le haut-parleur au-dessus de nous succéda *Take on Me*, et je compris qu'à partir de maintenant je ne pourrais plus l'entendre sans repenser à cette confrontation.

« Où est Hayden ce soir, Nina ? me demanda-t-il soudain. Vous devriez mieux le surveiller. Je n'ai pas été assez vigilant avec Carrie, et vous savez ce qui lui est arrivé. Vous savez ce qu'il lui a fait… »

Ces mots me donnèrent enfin la force de me détourner de lui et, après avoir manqué m'étaler sur le carrelage, je m'élançai dans l'allée jusqu'à la sortie du magasin. Les portes automatiques s'ouvrirent trop lentement et je heurtai l'une d'elles au passage. Une grosse ecchymose apparaîtrait le lendemain sur mon bras, s'étendant de l'épaule au coude. Sur le moment, cependant, je n'eus pas conscience du choc ; je sentais seulement les élancements dans la main que Pritchett avait serrée à la broyer.

2 Je pris à gauche en sortant du parking, franchis sans même ralentir le stop à l'entrée de Kensington Arbor puis tournai à droite si brusquement que j'entendis les pneus frotter contre le trottoir. Moins de quatre minutes après avoir quitté le supermarché, je garais ma Camry devant la maison des McPherson.

La rue déserte était bordée par de grosses demeures que seul séparait un petit bout de terrain. L'humidité dans l'air nocturne formait des halos brillants autour des réverbères. La lumière du perron était allumée chez les McPherson et au premier abord tout paraissait normal aux alentours. Cela dit, tout paraissait toujours normal dans ce quartier familial et résidentiel devenu notre refuge. Nous vivions nous-mêmes trois cents mètres plus loin, dans une maison dotée d'un garage pour une voiture et d'une belle terrasse à l'arrière où Hayden pouvait jouer. Je n'aimais pas le savoir loin de moi, mais il m'avait suppliée toute la semaine de le laisser dormir chez son copain Caleb, et comme j'avais des courses à faire ce soir-là, j'avais fini par céder. Une Yukon bordeaux stationnait à moitié sur le trottoir. C'était la « vieille » voiture de Gabby, la mère de Caleb ; leur garage devait maintenant être réservé à l'Escalade toute neuve que son mari Doug lui avait achetée pour Noël.

Je refermai doucement la portière de ma Camry puis me glissai dans le jardin des McPherson tout en observant la rue pour m'assurer qu'il n'y avait rien de suspect dans le voisinage – même si je ne savais pas trop quoi chercher. Hayden avait pris son téléphone portable, et j'avais bien failli l'appeler alors que je sortais précipitamment du supermarché mais je m'étais ravisée au dernier moment, préférant ne pas semer la panique en réveillant tout le monde au beau milieu de la nuit. Après tout, même si Charles Pritchett avait un contentieux à régler avec moi, il ne s'attaquerait certainement pas à mon enfant. Non, pas après ce qu'on avait fait subir à sa propre fille…

Où est Hayden ce soir, Nina ? Vous devriez mieux le surveiller.

De nouveau, j'examinai les environs. S'il y avait bien quelques voitures garées dans les allées ou le long du trottoir, je ne remarquai cependant aucune silhouette tassée sur le siège du conducteur ou postée derrière les fenêtres des maisons. Celles-ci se dressaient si près les unes des autres qu'elles me faisaient penser à des rangées de sentinelles ou aux murs d'un labyrinthe. J'avais toujours trouvé assez rassurante l'idée de vivre dans une sorte de forteresse, consciente cependant qu'elle pourrait aussi un jour se transformer en piège.

Aujourd'hui, je n'étais pas prête à affronter une telle éventualité.

Au dernier moment, je renonçai à presser la sonnette. Les McPherson devaient déjà se poser des questions sur mon compte, mais elles se limitaient vraisemblablement à mon statut de mère célibataire ou à des interrogations comme « Où peut bien être le père du petit ? » que j'entendais régulièrement autour de moi sans y prêter la moindre attention. Pour ma part, je me sentais de taille à supporter mon isolement ; de fait, j'avais même commencé à l'apprécier. Mon fils en revanche avait besoin d'amis et je ne voulais pas l'en priver. Il était à l'âge où la solitude pouvait facilement devenir un refuge, avec toujours à la clé le risque de l'aliénation, et je ne tenais pas à devoir fouiller sa penderie lorsqu'il serait adolescent pour vérifier qu'il n'y avait pas dissimulé un fusil d'assaut.

Oh, je n'avais pas toujours été portée à envisager le pire. C'était un talent acquis, un bel exemple de conditionnement involontaire.

Gabby McPherson m'avait fièrement fait faire le tour du propriétaire la première fois que j'avais amené Hayden chez elle pour jouer avec Caleb, mais en réalité j'avais déjà eu l'occasion de me familiariser avec la disposition des lieux : à l'époque où je cherchais à acheter dans le quartier, j'avais consulté les plans de tous les modèles de logements proposés. Elle-même n'avait apporté aucune touche d'originalité à l'intérieur ; les meubles et la décoration étaient clairement inspirés par le style de Martha Stewart, en vogue cinq ans plus tôt. Le salon où les garçons étaient censés passer la nuit se situait sur le côté, aussi m'avançai-je tout doucement sur l'herbe pour pouvoir jeter un coup d'œil par les vitres. Je me fichais complètement de ce que les voisins penseraient s'ils me surprenaient ainsi à rôder autour de la maison. Au fond, j'aurais même été soulagée de voir arriver une voiture de police ; j'avais d'ailleurs envisagé d'appeler le poste le plus proche en quittant le supermarché, avant de me dire que Pritchett s'estimait sans doute satisfait de son esclandre et nous laisserait désormais tranquilles. Pourtant, je n'y croyais pas vraiment. Mon cœur s'affolait, j'avais la gorge nouée et toutes les peines du monde à avaler.

Malgré tout, je dus bien admettre que Gabby ne manquait pas de goût en matière de rideaux. Elle avait acheté de beaux voilages fins, et comme les garçons avaient oublié de baisser les stores, j'eus tout loisir d'observer la pièce. Dans le salon transformé en terrain de camping, des sacs de couchage avaient été déroulés sur le tapis devant le canapé en cuir. Des saladiers de pop-corn et des canettes de soda jonchaient la table basse. L'écran plasma était allumé, mais ne percevant aucun son de l'autre côté de la fenêtre, j'en déduisis que le volume avait été coupé ou baissé pour ne pas déranger les adultes à l'étage. Je vis tout d'abord Caleb McPherson sur la droite, roulé en boule dans son duvet, les yeux fermés. Et à côté, installé trop près du téléviseur, mon petit garçon. Hayden jouait les vilains garnements en se rinçant l'œil devant des clips vidéo où des gamines vêtues d'un rien s'agitaient sur des chorégraphies suggestives tout en balancements de hanches et de fesses. Je ne le laissais pas regarder ce genre d'émission chez nous – il n'avait que sept ans ! –, mais je me sentis submergée par le soulagement en constatant qu'il allait bien. Un sanglot s'étrangla dans ma gorge lorsque je songeai à la façon dont il avait dû lutter contre le sommeil pour ne pas manquer ce spectacle interdit sur MTV. Ce n'était encore qu'un enfant – un enfant sain, tout à fait normal.

Quand il tourna la tête vers la vitre, je m'accroupis vivement. Puis, toujours baissée, je retournai vers la voiture avec l'impression d'être prise en faute, même si je savais qu'il ne m'avait pas vue et qu'apparemment personne d'autre n'était éveillé dans la rue silencieuse.

Je venais de me glisser au volant et de verrouiller les portières quand je croisai mon reflet dans le rétroviseur. Bon sang, j'avais l'air d'une vraie folle ! Mes cheveux châtains mi-longs, coupés au carré selon le style répandu chez les mères de famille à l'approche de la quarantaine, étaient en bataille. Sous la lumière crue des réverbères, mon teint clair, d'ordinaire mon meilleur atout, me parut cireux et mes traits tirés. Quant à mes yeux – ces yeux verts que mes amies avaient toujours ouvertement admirés mais dont je jugeais l'expression trop blessée, trop vulnérable –, ils semblaient encore agrandis par l'angoisse. Je compris soudain que, malgré tous les moments passés devant le miroir de la salle de bains à me brosser les dents, me sécher les cheveux ou me maquiller, j'évitais soigneusement de me regarder en face. J'aurais pourtant dû en avoir le droit aujourd'hui ; j'aurais dû être capable de me pardonner. Or Charles Pritchett, lui, ne l'avait manifestement pas fait. J'en vins alors à me demander si les autres proches des victimes étaient comme lui, toujours hantés, ou si certains avaient réussi à connaître l'apaisement depuis que Randy avait anéanti leur existence.

Respire à fond, me dis-je. Je ne réveillerais pas les McPherson, je ne ferais pas de scène déplacée. Mais en aucun cas je ne quitterais leur maison du regard. S'il y avait bien une chose que j'avais acquise au prix fort, c'était la persévérance.

Au cours des six années écoulées, il y avait eu des moments, je l'admets, où j'étais parvenue à oublier qui nous étions vraiment. Durant quelques heures, quelques jours ou même parfois une semaine, j'en arrivais à croire que j'étais réellement Leigh Wren, et non Nina Leigh Mosley, née Sarbaines. Je ne pensais alors plus du tout que je portais un nom différent autrefois, que je l'avais fait changer légalement après ce qui s'était passé avec mon ex-mari.

Mais ces périodes de répit ne duraient jamais. Il y avait toujours quelque chose pour me ramener à la réalité : un déferlement d'atrocités au journal télévisé du soir, une conversation au travail… Et dès que la mémoire me revenait, dès que je recouvrais cette capacité de vigilance devenue une seconde nature chez moi, je n'éprouvais aucun soulagement à l'idée d'avoir réussi à lâcher prise, à reléguer temporairement le passé aux oubliettes. Non, je me sentais juste irresponsable, puérile et idiote. J'avais honte.

Charles Pritchett… Sans doute savait-il où nous habitions. Il avait dû faire des recherches et guetter son heure en se délectant par avance du face-à-face à venir. Autrement dit, il était déterminé. Et j'étais prête à parier que la scène du supermarché ne lui avait pas apporté toute la satisfaction escomptée, parce que de toute évidence il s'était donné un objectif. Les hommes comme lui concevaient leur existence comme une succession d'objectifs à atteindre, et celui qui me concernait figurait probablement depuis déjà un bon bout de temps dans ses projets.

Cette révélation, dont je commençais à mesurer toutes les implications, me donna le tournis. Je ne pouvais cependant pas m'offrir le luxe de paniquer, aussi me forçai-je à prendre des notes sur le petit calepin que je gardais dans la boîte à gants. Des griffonnages, juste pour m'occuper les mains. J'inscrivis des dates au hasard, des mots sans suite, des associations libres. Je savais déjà que je ne pourrais pas les déchiffrer si je décidais d'y jeter un coup d'œil plus tard. Je finis par froisser la page avant de la jeter sur le plancher.

Je me remémorais vaguement Charles Pritchett, à présent. C'était un homme d'affaires fortuné dont le nom pouvait dire quelque chose au citoyen lambda pour une raison autre que le meurtre d'un de ses proches par Randy. Il avait organisé des conférences de presse avant le procès et même, selon certaines rumeurs, engagé une agence de relations publiques pour gérer à sa place les rapports avec les médias. Je ne le revoyais pas en personne dans la salle d'audience, ce qui en soi ne signifiait rien ; il ne me restait de cette épreuve que des images décousues, le souvenir de quelques paroles adressées par les uns ou les autres, de certaines questions posées par les avocats. Je ne me rappelais pas bien mes réponses, même si je ne doutais pas qu'elles soient consignées quelque part dans les archives. J'avais enfoui les réminiscences de cette période au plus profond de mon esprit, avant d'ériger soigneusement au fil des ans un rempart solide autour d'elles. À l'époque, les avocats généraux, une fois assurés de ma coopération inconditionnelle, avaient tout fait pour me protéger de la terrible publicité qui entourait l'affaire, et je m'étais réfugiée chez ma mère avant le début du procès, échappant ainsi au plus gros du battage médiatique qui l'avait précédé.

De Pritchett, à vrai dire, je gardais surtout en mémoire ses apparitions à la télévision, quand il pointait le doigt vers la caméra en ayant toutes les peines du monde à maîtriser son émotion – une réaction bien compréhensible de tous compte tenu des circonstances. Comment avais-je pu l'oublier ? Pourquoi ne l'avais-je pas reconnu au moment où il s'était approché de moi ? Pourquoi son nom ne m'était-il pas revenu tout de suite ? J'avais pourtant en tête celui de nombreuses victimes ; presque toutes, sans doute. Je me souvenais en particulier d'un jeune garçon qui avait survécu en se cachant dans la chambre d'amis pendant que le reste de sa famille se faisait massacrer. Je lui avais parlé après l'audience, le jour où il avait témoigné, et je l'avais découvert brisé, hagard, pratiquement paralysé par la culpabilité à l'idée de continuer à vivre alors que ses proches avaient péri – un égaré de plus parmi tous ceux qui avaient perdu amis et parents, anéantis par les pulsions meurtrières de Randy. La plupart d'entre eux n'avaient pas assisté au procès, ce que personne n'aurait songé à leur reprocher. À ce stade, hélas, il y avait déjà longtemps qu'on ne pouvait plus rien pour leurs fils, leurs filles, leurs mères, leurs pères, leurs frères, leurs sœurs ou leurs conjoints. C'était le grand show de Randy, l'ultime numéro conçu par son esprit tordu, la révélation publique de ce qu'il avait toujours été en réalité. Mon partenaire. L'homme qui partageait ma vie. Et mon lit.

Son festival sanglant avait duré au moins dix ans, sinon plus. J'étais présente presque tout le temps sans avoir la moindre idée de ce qui se passait. Pauvre Nina qui ne se doutait de rien, qui couchait avec la Bête et était tombée de haut – même si certains m'avaient accusée de complicité, même si au début j'avais été soupçonnée d'avoir participé au spectacle, à la moisson sinistre de Randy.

J'étais prête à le jurer, aujourd'hui comme hier : *Je ne savais pas, comment aurais-je pu deviner ?*

Jamais je n'avais réellement énoncé tous ces arguments, jamais je n'avais réellement été en position de les défendre, et il y avait longtemps que leur logique sonnait creux à mes oreilles. Bien sûr qu'il y avait des signes. Bien sûr que j'avais choisi de les ignorer.

Toujours garée devant chez les McPherson, je montai la garde toute la nuit dans ma voiture. Seuls les battements assourdis de mon cœur troublèrent le silence.

II

Nous étions mariés depuis environ un an lorsque Randy et moi participâmes aux recherches organisées pour retrouver Tyler Renault, un jeune garçon de la région porté disparu. La mère et la sœur aînée de Tyler avaient été découvertes assassinées dans leur lit deux jours plus tôt et les rumeurs allaient bon train. Ce genre de fait divers sanglant était en effet peu courant à El Ray, une banlieue de Fresno en général épargnée par les horreurs de la criminalité urbaine. Pour certains, c'était l'ex-mari le coupable, mais si la police l'avait bel et bien interrogé à plusieurs reprises, elle ne l'avait cependant pas encore placé en garde à vue, et de son côté il continuait à clamer son innocence. Une autre hypothèse, le plus souvent évoquée à mi-voix, voulait que les Renault aient été victimes d'une secte religieuse dont les membres étaient des jeunes à la dérive qui se réunissaient dans des parcs à mobile homes à la sortie de la ville et vendaient des amphétamines pour financer leurs vices.

Nous ne connaissions pas personnellement les Renault ; leur maison se situait à quelques kilomètres de chez nous, et nous vivions à un rythme tellement effréné depuis notre lune de miel que nous n'avions même pas encore eu l'occasion de rencontrer la plupart de nos voisins. Chargé du contrôle qualité pour Jackson-Lilliard Corporation, une entreprise internationale qui produisait des teintures chimiques destinées aussi bien au textile qu'à la peinture d'intérieur, Randy était souvent obligé de partir en déplacement pour inspecter des usines satellites, auditer leurs procédures et s'assurer qu'elles respectaient bien les standards définis par la loi et l'industrie. Quant à la société Shaw Associates, où je travaillais moi-même depuis que nous avions emménagé ici après ma licence, elle m'avait déjà offert une promotion : d'assistante du directeur marketing, j'avais été nommée au poste d'analyste d'affaires. Résultat, nous n'avions pas encore eu vraiment le temps de prendre nos repères dans notre nouvelle existence. Il y avait toujours dans notre garage des cartons qui n'avaient pas été ouverts.

Mais depuis deux jours tout le monde ne parlait que du meurtre des Renault, et lorsque Judy Larson, de la First Methodist Church, m'avait appelée pour me demander de participer aux recherches organisées par la police, je lui avais répondu que nous acceptions, évidemment. Si Randy ne m'avait pas paru très chaud au début, il avait cependant fini par se résigner. Sans doute pour éviter mes reproches…

On nous avait assigné un périmètre couvrant un vaste pré à l'est de l'entrée de l'autoroute. Avec dix-sept autres adultes, presque tous des inconnus pour nous, nous avancions en ligne à travers les hautes herbes jaunies et les épaisses broussailles, chassant de la main les insectes qui bourdonnaient autour de nos visages en sueur dans la chaleur de cette matinée printanière, scrutant les alentours au cas où nous repérerions un corps. Ou des traces de violence. Deux agents en uniforme nous précédaient, appelant de temps à autre Tyler dans leur mégaphone.

Randy marchait d'un bon pas, silhouette imposante parmi le groupe de volontaires ; avec son mètre quatre-vingt-quinze, c'était le plus grand des hommes présents. Il était également en excellente condition physique ; ses épaules larges et son torse puissant tendaient la chemise Land's End que je lui avais achetée pour son dernier anniversaire. Il m'arrivait parfois de me demander comment j'avais pu lui plaire. Avec ses yeux bruns pénétrants, ses courts cheveux noirs, son teint mat et sa bouche expressive, c'était l'archétype de ce que la plupart des femmes qualifieraient d'extrêmement séduisant dans le genre mannequin. Je les surprenais parfois au centre commercial ou au restaurant – seules ou pas, adolescentes ou mûres –, qui le suivaient du regard quand nous passions devant elles, et j'éprouvais alors un douloureux pincement au cœur. J'étais plutôt bien faite, du moins aimais-je à le penser, mais petite, et nos amis se laissaient souvent aller à des commentaires sur notre apparence, opposant volontiers la stature impressionnante de Randy à ma frêle silhouette. S'ils avaient du tact, ils ajoutaient que nous nous complétions parfaitement ; s'ils n'en avaient pas, ils disaient que nous étions étrangement assortis.

Nous avions déjà eu l'occasion de rencontrer une ou deux fois le couple qui progressait à côté de nous ce jour-là et nous connaissions leur nom : Roger et Georgia Adler. Il était professeur de mathématiques au lycée local depuis une vingtaine d'années ; elle ne travaillait plus. Leurs enfants étaient grands et tous deux m'apparaissaient comme l'incarnation même des personnes actives, heureuses de vivre, que chacun rêve de devenir au seuil de la vieillesse. Randy avait insinué une fois qu'ils avaient probablement eu recours à la chirurgie esthétique. Pour moi, ils avaient juste l'air « en forme pour leur âge », dans le style de ces seniors sur les publicités pour les vitamines et les produits bio. Au début, Roger marchait entre sa femme et moi. Il se servait d'un bout de bois ramassé par terre pour chasser les insectes et s'arrêtait souvent afin d'inspecter les canettes en aluminium ou les emballages vides jonchant les touffes d'herbe. Georgia, en short, avait des égratignures partout sur ses grosses cuisses blanches et ne cessait de pester. Au bout d'un certain temps, elle changea de place avec son mari afin de pouvoir me parler.

De l'autre côté, Randy était flanqué de Dalton Forte, un avocat d'affaires qui travaillait pour un cabinet dont le siège avait ses bureaux dans le même immeuble que l'employeur de mon mari. À quarante et quelques années, il arborait un hâle permanent et des cheveux hérissés dignes d'un adolescent, ce que je trouvais pour ma part un peu ridicule. Randy et lui jouaient parfois au racquetball à l'heure du déjeuner, et depuis le début de notre expédition ils bavardaient avec une joyeuse décontraction totalement déplacée compte tenu du contexte.

À un certain moment, Georgia se sentit obligée d'observer que c'était épouvantable, cette tragédie dont les Renault étaient victimes. J'avais entendu le même genre de banalités dans la bouche de tous ceux à qui j'avais adressé la parole ces derniers temps : « C'est affreux, tellement absurde, l'œuvre d'un malade, il faudrait abattre le coupable sur-le-champ, pas besoin de procès, autant économiser l'argent de l'État, ça montre bien à quel point la vie n'a plus aucune valeur dans nos sociétés modernes », etc. Comme s'il y avait une seule personne pour penser que ce crime n'était pas monstrueux. Cela dit, j'avais moi-même formulé des remarques semblables, surtout parce que je ne voulais pas me distinguer en me retenant d'exprimer ma répugnance. Todd Cline, un policier qui habitait dans notre rue, s'était rendu sur les lieux du carnage le matin où les corps de Trudi et de Dominique Renault avaient été découverts (par l'ex-mari en personne), et il avait laissé entendre que les journaux n'avaient pas tout dit. Il avait parlé de certaines choses faites aux deux malheureuses, des choses dont il n'avait pas le droit de discuter mais qui dépassaient dans l'horreur tout ce qu'il avait vu au cours de ses huit années de service. Des choses qui concernaient leurs yeux.

Dominique Renault avait dix ans.

« Je n'arrive pas à croire qu'un homme puisse se comporter avec une telle sauvagerie, dit Georgia en essuyant la sueur sur sa gorge avec le col de son chemisier. Les drames de ce genre ne se produisent jamais dans des endroits comme celui-ci… »

Quand un soupir ostensiblement exaspéré résonna sur ma droite, je grimaçai. Avant que je n'aie eu la possibilité de lui intimer le silence, Randy répliqua : « Désolé de vous contredire mais justement, les "drames de ce genre" se produisent le plus souvent dans des "endroits comme celui-ci", à savoir les "banlieues résidentielles idylliques pour classe moyenne à vingt minutes seulement du centre-ville". Trois homicides sur cinq l'année dernière ont été commis au sein de communautés résidentielles semblables à la nôtre ou dans des beaux quartiers excentrés. Bien sûr, dans la mesure où les centres-ville se sont vidés, l'expression "des endroits comme celui-ci" recouvre une réalité assez large, Georgia.

— Ravi que vous soyez là pour nous faire profiter de vos lumières, professeur ! railla Forte. Vos commentaires sur les plans d'urbanisation et le taux de criminalité sont particulièrement éclairants… Toi, t'as encore écouté la radio, hein ? »

Randy le gratifia d'un sourire crispé, genre « Je t'emmerde » avant d'indiquer de la main un point devant nous. Cinquante mètres plus loin, une rangée d'arbres marquait la limite du pré. Quelques années plus tôt, une forêt devait certainement se dresser à cet endroit ;

désormais, on apercevait à travers les branchages le terrain dénudé et aplani au bulldozer où un nouveau lotissement sortirait de terre à l'automne suivant. « Je voulais juste souligner que l'Amérique d'aujourd'hui se compose essentiellement d'"endroits comme celui-ci", reprit Randy, et que le taux de criminalité demeure en gros le même depuis le début des années quatre-vingt. Sauf en ce qui concerne le crack, évidemment, mais j'imagine mal le meurtre des Renault lié à une histoire de drogue ayant mal tourné. À mon avis, il s'agit soit d'une scène de ménage qui a dégénéré, soit des actes d'un individu perturbé. Et qui est toujours en liberté, je précise. Auquel cas, le fait qu'il ait enlevé le gamin au lieu de le tuer sur place est probablement bon signe. Il y a peut-être une chance pour que Tyler soit toujours en vie, même s'il n'y a aucune trace de lui dans ce champ. »

J'aimais autant que mon mari regarder les reconstitutions d'affaires criminelles à la télé. En particulier *Prime Time*, qui diffusait chaque semaine trois émissions où l'on pouvait suivre toute l'enquête, de la découverte des corps jusqu'au verdict. Sans doute Randy s'en était-il inspiré pour énoncer toutes ces généralités. Il n'écoutait pas la radio, j'en étais sûre. Au début de notre relation, je trouvais fascinant qu'il puisse s'exprimer sur pratiquement n'importe quel sujet comme s'il le connaissait à fond quand la plupart des hommes de son âge ne savaient parler que de sport ou d'argent. Avec le temps, je m'étais néanmoins rendu compte qu'il formulait souvent des opinions erronées, soit qu'il cite mal à propos des informations entendues ici ou là, soit qu'il les invente carrément pour étayer les conclusions auxquelles il était déjà parvenu. N'empêche, il était capable de donner le change, et dans la mesure où j'avais appris à mes dépens combien il détestait la contradiction – il se murait dans un silence boudeur ou devenait agressif –, je préférais en général me taire. Après tout, lorsque la discussion ne concernait que nous deux, cela ne prêtait pas à conséquence. Mais en société, c'était parfois particulièrement pénible.

Cette fois, ce fut plus fort que moi, je ne pus m'empêcher d'intervenir. « Je croyais qu'en cas d'enlèvement, les chances de retrouver la victime vivante diminuaient d'heure en heure, dis-je à mi-voix

25

pour m'assurer que personne en dehors de notre petit groupe ne nous entendrait.

— C'est vrai, concéda Randy en me jetant un bref coup d'œil. Mais en admettant que ce crime soit l'œuvre d'un psychotique, d'un type qui ne se contrôle plus, pourquoi ne s'est-il pas débarrassé du gosse tout de suite ? Je veux dire, puisqu'il est manifestement dérangé, comment a-t-il fait pour maîtriser ses pulsions et épargner une des victimes ? Et pourquoi prendre le risque de l'emmener quelque part, de se déplacer avec elle ? »

Georgia, qui avait déjà fait connaître sa répulsion pour les crimes sanguinaires, ne semblait pas apprécier la tournure prise par la discussion. Elle répéta en frissonnant : « En tout cas, c'est affreux. »

Le sujet avait néanmoins piqué la curiosité de Dalton Forte. « Tu l'as dit toi-même, Randy, un psychotique capable de commettre un tel acte ne peut probablement plus réfléchir de façon logique, déclara-t-il. La raison n'a pas de prise sur lui. Qui sait, ce sont peut-être les voix dans sa tête, les petits hommes verts ou un truc débile du même style qui l'ont poussé à kidnapper le gosse. Ou alors, il est plus lucide qu'on ne voudrait l'admettre et il pense pouvoir utiliser Tyler comme monnaie d'échange si jamais les flics le coincent.

— À moins qu'il n'en ait pas encore terminé avec le petit... », répliqua Randy.

Je le sentais prêt à s'emballer, à se lancer dans un grand discours, et le malaise suscité par son attitude me nouait l'estomac. J'aurais voulu trouver quelque chose à dire, n'importe quoi, pour dévier le cours de la conversation, mais Randy ne m'en laissa pas le loisir.

« Si on était sûrs de la culpabilité du mari, je serais d'accord sur la possibilité de se servir de Tyler comme moyen de pression, poursuivit-il d'un ton docte qu'il estimait sans doute de mise dans une discussion avec un avocat d'affaires. En l'occurrence, la police l'a déjà interrogé à plusieurs reprises et rien ne laisse supposer qu'il soit impliqué. De toute façon, ça ne me paraît pas une très bonne idée de compter sur le gosse pour s'en sortir dans la mesure où les kidnappings s'achèvent souvent par la mort de l'otage et du ravisseur. Bien sûr, s'il s'agit effectivement d'un crime motivé par un accès de colère chez le mari, par une crise de folie, alors dans ce cas toutes les hypothèses sont envisageables. On ne peut pas prédire son comportement. Mais, personnellement, je n'hésiterais pas à aller plus loin, à formuler une hypothèse que tout le monde refuse encore d'envisager : un tueur en série sévit ici, dans notre petit havre de paix. Les profileurs affirment que les meurtres commis par ce genre d'individus sont beaucoup moins aléatoires ou imprévisibles que les crimes passionnels. Les tueurs en série planifient d'avance leurs actes, jusque dans les moindres détails. Pour mieux assouvir leurs fantasmes, ils adoptent une approche froide, analytique. » Il gratifia d'un sourire éblouissant son partenaire de racquetball. « Comme les avocats, quoi ! »

Lorsque Forte le considéra en silence, je n'aurais su dire si son regard exprimait de l'embarras ou une admiration réticente. « Merci, docteur Hannibal Lecter », lança-t-il enfin avant de marcher sur une grosse branche morte dissimulée parmi les hautes herbes. Elle se redressa d'un coup et faillit l'atteindre au visage. Il l'écarta d'un geste furieux.

« On a vu trop d'émissions sur A & E* », expliquai-je à Georgia, qui nous considérait tous d'un air réprobateur. Elle en avait manifestement assez de cette conversation, aussi me demanda-t-elle si nous avions l'intention de fonder bientôt une famille. Je répondis machinalement que nous voulions d'abord nous donner le temps de nous installer, que nous avions tous les deux des projets de carrière, etc. Randy m'adressa un coup d'œil agacé avant d'ajouter à l'intention de Forte :

« Les tueurs en série opèrent généralement dans un périmètre proche de leur domicile ; il leur arrive de pousser jusque dans les États voisins mais rarement plus loin. Peut-être parce qu'ils prennent aussi plaisir à terroriser la population locale… » Il marqua une pause et leva les yeux vers le ciel d'un bleu limpide. « Il est tout à fait possible que par le biais des rumeurs, de l'attention des médias, des recherches comme celles auxquelles on participe aujourd'hui et même de cette conversation, on ne fasse que servir ses desseins. La

* Chaîne de télévision par câble et satellite, spécialisée dans la diffusion de biographies, de documentaires et de séries dramatiques. (*N. d. T.*)

simple possibilité que nous puissions le croiser dans la rue à notre insu donne une sorte de dimension surréaliste à notre vie quotidienne et, au fond, nous rend plus conscients de notre condition mortelle. On y a tous pensé ces derniers jours, je suis prêt à le parier. »

Roger Adler, le mari de Georgia, un peu à la traîne, avait écouté jusque-là en silence. Il déclara soudain : « Sans vouloir vous vexer, Randy, je ne suis pas d'accord. Il me semble déplacé de prêter une quelconque valeur cathartique à un meurtre. Nous parlons de jeunes enfants, là.

— Oh, intervint sa femme, je suis sûre que Randy ne voulait pas…

— Non, l'interrompit Randy, qui ralentit légèrement l'allure pour permettre à son interlocuteur de le rattraper. Roger a raison et je m'excuse d'avoir formulé les choses en ces termes. Je sais bien qu'il s'agit d'êtres humains. D'une situation réelle. Je voulais juste dire que nous flattons peut-être malgré nous l'ego de ce type. » Il se tourna de nouveau vers Forte. « Si ça se trouve, il se repaît du retentissement donné à cette affaire par la presse, les journaux télévisés… Tout en ayant bien conscience, évidemment, qu'il ne pourra jamais partager ce moment de gloire ni en profiter vraiment parce que, s'il se fait prendre, ce sera la fin pour lui et son monde imaginaire. Mais s'il parvient à contrôler son désir de reconnaissance, quelle satisfaction pour lui ! Côtoyer tous les jours sa femme, ses enfants, ses voisins, ses collègues sans qu'ils se doutent de rien… Ou du moins, s'ils ont des soupçons, ils ne peuvent pas se l'avouer, parce qu'ils deviendraient aussitôt complices… Vous imaginez le sentiment de pouvoir que ce malade doit éprouver ? Tout se passe dans sa tête, il est la proie d'un conflit intérieur terrible, il se bat contre des fantasmes qui, en fin de compte, se révèlent si puissants qu'il doit les concrétiser, et pendant ce temps-là les autres le jugent exactement comme vous et moi. Merde, Dalton, t'es avocat, t'as l'habitude de bluffer ! Tu te rends compte de la force mentale qu'il faut pour entreprendre une tâche de cette ampleur, avec des enjeux aussi élevés ? C'est stupéfiant. »

Forte se tourna vers moi pour ne pas avoir à regarder directement mon mari. « Randy est un joueur compulsif, non ?

— Vous croyez que je le laisserais faire ? » répliquai-je en m'efforçant d'adopter un ton léger alors que je me sentais mal à l'aise, gênée par le monologue de Randy. Nous avions presque atteint les arbres. Nous portions tous des chaussures de randonnée qui, à voir leur aspect, n'avaient pas dû beaucoup servir. Pour ma part, j'avais acheté les miennes quand j'étais encore en fac, juste avant de rencontrer Randy, surtout pour avoir l'air d'une sportive. « Déjà que je lui mène la vie dure quand il parie sur vos matchs de racquetball…

— Pourquoi parie-t-il ? C'est toujours lui qui gagne ! »

De toute évidence, Randy aurait voulu continuer, nous montrer encore qu'il possédait les ressources d'imagination suffisantes pour envisager le pire sous un angle froid, étrangement détaché. Dans son métier, il était chargé d'attirer l'attention de tous sur des détails pointus ; le moindre écart dans les processus de production qu'il évaluait risquait en effet de déboucher sur des poursuites, une intervention fédérale et des millions de dollars d'amende réclamés à Jackson-Lilliard. Aussi avait-il l'habitude d'échafauder des scénarios catastrophe pour mieux les prévenir. Ce jour-là, pourtant, ses élucubrations me portaient tout particulièrement sur les nerfs. Il m'exaspérait tellement que j'avais le plus grand mal à me retenir de lui crier de se taire. Mais en aucun cas je ne voulais que les autres participants aux recherches se tournent soudain vers nous, alertés par nos éclats de voix, pour s'apercevoir finalement qu'il s'agissait juste d'une vulgaire dispute conjugale. Alors j'optai pour la discrétion, et Randy dut aussi tenir le même raisonnement, car il n'insista pas.

Après avoir parcouru toute la longueur du champ, nous fouillâmes le sous-bois clairsemé jusqu'à la lisière du terrain déblayé en prévision de la construction du lotissement. À part une douille vide toute rouillée et une vieille tenue de bébé, nous ne trouvâmes rien. Aucune trace de l'enfant disparu.

Le corps de Tyler Renault fut découvert un mois plus tard, à environ trente kilomètres à l'ouest d'El Ray, jeté dans un ravin au bord de l'autoroute. Son meurtrier lui avait arraché les yeux et avait inséré une paire de dés dans les orbites vides. L'ex-mari ne fut jamais accusé ; Todd Cline, notre voisin policier, nous raconta que les traces d'ADN relevées sur les lieux mettaient M. Renault hors de cause. Les journaux ne mentionnèrent cependant plus l'affaire ni l'enquête en cours. Et il devait s'écouler encore plusieurs années avant qu'un suspect ne soit identifié.

III

1 Je fus réveillée par un petit coup tapé sur mon pare-brise.
Doug McPherson se tenait sur le trottoir, en short et sweat-shirt, prêt pour son jogging matinal. Un short, alors que ma première impression, outre la gêne d'avoir été découverte endormie sur mon siège, fut celle d'un froid saisissant…

Je voulus baisser ma vitre, mais comme le moteur ne tournait pas je dus ouvrir ma portière afin de saluer Doug. L'inquiétude initiale sur ses traits avait cédé la place à une curiosité bienveillante. « On prévoyait de ramener Hayden chez vous après mon jogging, dit-il. Mais vous vouliez le récupérer plus tôt, je suppose… Tout va bien ? »

Sans doute devait-il penser que j'avais du mal à me remettre d'une soirée trop arrosée. Je lui fus reconnaissante de ne pas se montrer trop curieux.

Je hochai la tête. « Oui, oui, pas de problème. Je comptais faire quelques courses avant qu'il y ait trop de monde au centre commercial. » Je consultai ma montre ; il était six heures et demie, le jour se levait à peine. Je devais offrir une drôle d'apparence avec mes paupières lourdes et mon visage chiffonné par le sommeil… Je forçai un petit rire, surtout pour rassurer Doug. « Je me suis habillée et je suis partie en coup de vent, sans réfléchir. J'aurais peut-être dû prendre un café d'abord, hein ? »

Il me gratifia d'un sourire indulgent avant de jeter un coup d'œil en direction de la maison. Gabby était sortie sur le perron, accompagnée par Caleb qui s'agrippait à son peignoir en se grattant machinalement l'oreille. Derrière eux, mon fils se frottait les yeux.

« Bonjour tout le monde ! lançai-je. Je me suis dit que ce serait mieux de passer chercher Hayden de bonne heure.

— Ben pourquoi ? » demanda l'intéressé.

Mon cerveau avait du mal à fonctionner. Soudain, la scène de la veille me revint à la mémoire et je fouillai rapidement la rue du regard. Tout semblait tranquille, normal, exactement comme avant que je ne m'endorme. « C'est une surprise, improvisai-je, sachant qu'il me faudrait payer plus tard le prix de mon mensonge. Plus vite on se mettra en route, plus vite tu le sauras. »

Près de moi, Doug faisait déjà quelques exercices d'échauffement : il plia la jambe droite, sautilla sur place, puis répéta le mouvement avec la gauche. Quand les garçons retournèrent à l'intérieur, il déclara : « Allez-y, Gabby vous racontera la soirée. » Il indiqua mon pare-brise. « Tiens, quelqu'un vous a laissé un message, on dirait. Dans votre précipitation, vous ne l'avez pas remarqué… » Sur un dernier regard perplexe, il s'élança dans la rue.

En voyant la petite enveloppe blanche logée entre le pare-brise et l'essuie-glace, j'eus l'impression d'un froid encore plus intense. Je l'attrapai et la fourrai prestement dans la poche de mon jean.

Les McPherson avaient choisi pour leur cuisine une peinture jaune canari beaucoup trop vive à mon goût. Cela dit, la pièce sentait merveilleusement bon, et j'acceptai avec reconnaissance une tasse de café pendant que Gabby faisait griller des tranches de bacon. « Je crois bien qu'ils ont regardé la télé une bonne partie de la nuit, me confia-t-elle. Le poste était encore allumé ce matin quand on est descendus. Mais ne vous inquiétez pas, il y a un système de contrôle parental qui empêche l'accès aux programmes pour adultes. »

Je n'étais pas inquiète. À mon avis, rien de plus osé que les clips de MTV ne devait passer sur leur écran plasma. Gabby et Doug représentaient bien les valeurs de la classe sociale prédominante de Cary : ils étaient conservateurs, portés aux opinions toutes faites mais également gentils, généreux et totalement inconscients de leurs petits travers. Attachants, en un mot, comme l'étaient la plupart de leurs concitoyens. J'avais dès le début encouragé l'amitié de nos enfants, qui s'étaient rencontrés dans le car scolaire à l'automne précédent ; je voulais que mon fils se sente à l'aise et en sécurité dans cet environnement, aussi ordinaire soit-il.

Hayden, parti dans le salon chercher ses affaires, revint à la cuisine chargé de son sac de couchage et de sa petite valise où j'avais mis une brosse à dents et une tenue de rechange. Il n'avait manifestement aucune intention d'utiliser l'une ou l'autre, mais après tout il n'était pas censé rentrer si tôt. En le voyant tout échevelé et débraillé, je sentis mon cœur se gonfler de tendresse. Caleb et lui semblaient avoir établi une sorte de code secret, et tous deux n'arrêtaient pas de faire différents bruits de gorge avant de hocher la tête d'un air entendu et de glousser comme s'ils s'étaient parfaitement compris.

« Hé, les garçons, pas de chahut dans la maison », les réprimanda Gabby d'un ton absent. Elle se massa les tempes avant d'ajouter : « J'ai un peu forcé sur le vin, hier soir… Quand est-ce que je vais enfin admettre que je n'ai plus vingt ans ?

— Je me suis couchée trop tard moi aussi, affirmai-je. En tout cas, merci encore d'avoir accueilli Hayden. » Je posai ma tasse sur le comptoir et me penchai, les mains sur les genoux, pour regarder mon fils. « Alors, qu'est-ce qu'on dit à Mme McPherson ?

— Merci, madame McPherson. »

Quand elle lui ébouriffa les cheveux, je dus résister à l'envie de lui écarter la main. J'étais trop possessive, je m'en rendais compte, mais c'était plus fort que moi. Personne n'aurait pu s'en douter, cela dit… Du moins, personne à part mon fils. Il remarquait beaucoup plus de choses que je ne l'aurais souhaité.

Après avoir pris congé des McPherson, nous montâmes en voiture et, avant de démarrer, je laissai le moteur tourner un moment pour réchauffer l'habitacle. En attendant, je demandai à Hayden s'il s'était bien amusé.

« Ouais, c'était cool, répondit-il, bien réveillé à présent. On a joué avec la PlayStation de Caleb et son père est resté avec nous jusqu'à onze heures.

— Tu n'aurais pas dû veiller si tard.

— Hé, c'est quoi la surprise ? »

N'ayant rien prévu, je me trouvai dans l'obligation d'improviser. De retour chez nous, je m'arrangeai pour prolonger la toilette et le petit-déjeuner, puis nous prîmes la direction du centre commercial de Southpoint Mall pour une séance de cinéma en matinée. Il s'avéra que Hayden n'était pas le seul à avoir harcelé sa mère toute la semaine pour qu'elle l'emmène voir la dernière création des studios Pixar/Disney – encore une de ces productions numérisées faisant la part belle aux animaux parlants. Une foule de parents et d'enfants se pressait à l'entrée du cinéma dans un joyeux brouhaha qui semblait tout autant agacer les jeunes placeurs que réjouir les familles. Je reconnus quelques collègues de travail avec qui j'échangeai poliment quelques mots. Si vous m'aviez posé la question cinq minutes plus tard, je n'aurais su dire ce qu'ils m'avaient raconté ou ce que je leur avais répondu.

L'intrigue du film n'apportait rien de nouveau, me sembla-t-il ; j'avais l'impression de montrer à Hayden la même histoire depuis qu'il avait cinq ans. Jusqu'aux mêmes vedettes qui assuraient le doublage des voix… Pour autant, ce n'était pas désagréable à regarder. Quant à mon fils, il était littéralement captivé au bout de quelques minutes à peine.

Peu à peu, cependant, mes pensées se mirent à vagabonder. Je perdis tout intérêt pour les images à l'écran et me concentrai sur l'enveloppe qu'on avait placée sous mon essuie-glace. Je l'avais ouverte après avoir ramené Hayden à la maison. Son contenu avait provoqué un tel choc en moi, une telle réaction viscérale que je l'avais immédiatement froissée avant de la fourrer dans un tiroir.

Il y avait deux feuilles de papier à l'intérieur. La première était un article tiré d'un quotidien de Memphis, dans le Tennessee. MEURTRE MYSTÉRIEUX D'UNE ÉTUDIANTE, LA POLICE N'A TOUJOURS AUCUNE PISTE, disait le titre. L'affaire remontait à deux mois.

Toujours ébranlée, je m'étais connectée sur Internet pendant que Hayden prenait son bain. Dans les archives du journal datant de cette période, j'avais trouvé un article à propos d'une jeune fille assassinée chez elle ; aucun indice n'avait été relevé, apparemment, aucun témoin n'avait rien vu mais le journaliste faisait une allusion à une mutilation. Le petit ami de la victime, complètement abattu, n'avait pas été retenu comme suspect et les autorités sollicitaient l'aide de la population.

Le texte s'accompagnait d'une photo de la victime, une certaine Julie Craven, vingt ans. J'avais longuement étudié ses traits :

visage rond, coupe au carré, lèvres pleines, sourire agréable. Et de magnifiques yeux en amande, que je n'avais pu m'empêcher d'imaginer remplacés par un quelconque objet. L'article n'apportait toutefois aucune précision à ce sujet.

Attachée par un trombone à la feuille dans l'enveloppe se trouvait une petite note manuscrite comportant juste quelques mots en majuscules : *ÇA VOUS AMUSE ?*

Pritchett s'était approché de la voiture pour glisser son message sur le pare-brise pendant que je dormais. Il s'était tenu à quelques centimètres seulement de moi. M'avait-il regardée ? Avait-il dit quelque chose ?

Un frisson me parcourut. Même encore maintenant, j'avais l'impression de sentir la pression de sa main sur la mienne alors que je tentais de me dégager. En ce moment précis, prenait-il plaisir à revivre la confrontation de la veille, le flot d'émotions qu'il avait déversé sur moi, chaque mot de son discours ? Ou au contraire était-il déçu par cette scène qu'il avait dû répéter maintes fois dans sa tête, visualiser le soir avant de s'endormir ? En avait-il retiré toute la satisfaction escomptée ?

Soudain, au milieu de cette salle sombre, entourée par une foule de spectateurs insouciants – tous ces enfants inconscients des dangers qui les guettaient –, je compris que Charles Pritchett avait dû me traquer pendant *des années*. Et qu'aujourd'hui, il m'avait débusquée.

2 J'avais découvert l'existence de Cary dans la revue *National Geographic* environ six ans plus tôt. Elle figurait dans la rubrique « Ville américaine de la semaine », je crois. À l'époque, je vivais encore chez ma mère ; c'était juste après le procès, je ne savais plus où j'en étais et maman voulait nous garder auprès d'elle le plus longtemps possible. Mais j'avais déjà la certitude, à cause du regard des passants dans la rue et de la façon dont mes amis d'enfance me parlaient – tour à tour apitoyée et curieuse –, que je ne pourrais pas rester à Tapersville. Cette bourgade ouvrière de l'Oregon où j'étais née et où ma mère habitait encore était trop petite, trop familière. Ses habitants voulaient croire en leur bonté d'âme, en leur capacité à ne pas porter de jugement, mais en ce qui

me concernait toutes ces réserves avaient volé en éclats. Dans cette ville presque toujours sous la pluie et le brouillard, cernée par des collines couvertes de forêts et le grondement des camions qui circulaient sur la voie express à toute heure du jour et de la nuit, mon histoire avait fait sensation. Et j'avais appris à mes dépens que la population des communautés isolées se délectait tout autant du scandale et du malheur que celle de la banlieue d'El Ray d'où je m'étais enfuie.

Aussi les informations données dans l'article sur Cary m'avaient-elles semblé prometteuses : afflux de cols blancs venus du nord-est des États-Unis, attirés par des sociétés comme SAS et IBM, qui avaient leur siège dans le Research Triangle Park, l'immense pôle d'activités tout proche ; logements abordables, bonnes écoles, faible taux de criminalité ; trois universités à une demi-heure l'une de l'autre. Les autochtones réagissaient plutôt bien à cette invasion dans la mesure où les nouveaux arrivants apportaient beaucoup d'argent. L'endroit m'avait paru idéal pour devenir anonyme, pour me fondre dans le décor sans forcément condamner Hayden au même sort.

Je voyais alors une psychiatre. Maman me conduisait à mes rendez-vous et m'attendait dans la voiture pendant que je parlais de mes problèmes au docteur Cannell. C'était sans doute une bonne praticienne, capable d'aider les patients confrontés à des problèmes de drogue, de dépression ou d'infidélité conjugale. Mais lors de nos séances elle ne réussissait qu'à me mettre en colère, une émotion que je ne pouvais absolument plus gérer à ce moment de ma vie. Lorsque je lui avais annoncé mon intention de partir, elle avait déclaré : « Vous cherchez une solution géographique à un problème intérieur.

— Je ne vous le fais pas dire.

— Ça ne vous aidera pas à surmonter votre sentiment de culpabilité.

— Ce n'est pas à moi que je pense. »

C'était vrai. Après que le verdict avait été rendu dans le procès de Randy, anéantissant tout espoir pour lui de pouvoir torturer quiconque en dehors du système pénitentiaire californien, le même juge qui s'était occupé de mon divorce et de mon changement d'identité m'avait également accordé la libre jouissance de tous les biens de notre couple. Je n'aurais plus besoin de travailler avant longtemps. Pour autant, je n'envisageais pas de rester à Tapersville.

Lorsque je m'étais établie à Cary, j'avais découvert d'autres caractéristiques que l'article du *National Geographic* ne mentionnait pas. Par exemple, les nouveaux immigrants ne venaient pas seulement du nord-est des États-Unis mais aussi de pays comme l'Inde, la Corée du Sud et le Kenya. La plupart possédaient un doctorat et exerçaient leurs talents dans divers secteurs d'activité. Les entretiens d'embauche étaient relativement faciles à décrocher ; les postes, beaucoup moins. Quant à la ville elle-même, elle se présentait comme une vaste étendue monotone de maisons beiges ou blanc cassé (il existait même un règlement municipal interdisant les façades trop voyantes) groupées dans d'innombrables lotissements ponctués de quelques bois clairsemés. En d'autres termes, ce n'était pas si différent d'El Ray.

Quoi qu'il en soit, je m'étais plutôt bien débrouillée pour disparaître, ou du moins en étais-je convaincue jusqu'à ma rencontre avec Charles Pritchett. Mon employeur, Data Managers Enterprises Inc., s'occupait du traitement des données pour plusieurs sociétés nationales : résultats d'enquêtes auprès des consommateurs, listes téléphoniques, sondages, ce genre de choses. J'avais commencé au bas de l'échelle et deux ans plus tard j'étais promue au rang de chef d'équipe. Aujourd'hui, je dirigeais huit personnes. Sans être aussi passionnant que mon ancien métier d'analyste d'affaires, ce travail restait toutefois suffisamment stimulant pour ne pas être ennuyeux et me laissait la liberté de prendre des congés si Hayden avait besoin de moi. En outre, j'étais aussi loin que possible d'El Ray, de Randy et du passé sans avoir quitté le sol américain.

Mais ce n'était pas encore assez loin, manifestement. Le lundi après-midi, je m'apprêtais à quitter le bureau quand l'agent de sécurité à l'accueil m'appela pour m'informer que j'avais une visiteuse. Il m'indiqua son nom, que je ne reconnus pas, avant d'ajouter : « Elle travaille pour le *News and Observer*.

— Dites-lui que je me suis absentée. » Je raccrochai brusquement puis attrapai mon manteau. La plupart de mes collaborateurs étaient déjà rentrés chez eux et Hayden était allé jouer chez les

McPherson. J'avais encore quelques dossiers à boucler mais ils ne me paraissaient plus aussi urgents après cet appel. Une journaliste ne pouvait s'être déplacée que pour une seule raison : Pritchett avait mis ses menaces à exécution et révélé publiquement mon identité. Autrement dit, mon fils risquait de tout découvrir… Oh, Seigneur.

Sur le parking, une femme se précipita vers moi en criant mon nom au moment où je m'approchais de ma Camry. Un homme armé d'un appareil photo la talonnait de près. Je me hâtai de monter en voiture et de verrouiller les portières avant qu'ils n'aient pu me rejoindre. La femme s'immobilisa à quelques pas tandis que son collaborateur me mitraillait. Malgré les vitres closes, je l'entendis me dire qu'ils allaient publier un article de toute façon, alors autant que je donne ma version, non ? J'allumai l'autoradio puis démarrai en trombe, manquant la heurter au passage avec mon rétroviseur.

Après son arrestation, Randall Roberts Mosley avait eu les honneurs de tous les médias du pays. Les journaux donnaient toujours l'identité des monstres dans son genre, comme si les assassins et les pervers méritaient d'être connus par leur nom, mais pas leurs victimes. Randy avait tué au moins douze personnes en l'espace d'une dizaine d'années. La chaîne A & E lui avait consacré un numéro entier de l'émission *American Justice*. Si je ne l'avais jamais vu, je savais néanmoins par le programme télé qu'il était rediffusé de temps en temps. Je préférais ne pas penser à l'image qu'on devait donner de moi dans ce reportage d'une heure sur les exactions commises par mon mari ; les médias ne m'avaient jamais appréciée, loin s'en fallait. C'était peut-être lié à la façon cavalière dont j'avais traité les deux écrivains qui voulaient obtenir «ma version des faits». Lane Dockery et Ronald Person m'avaient tous les deux téléphoné à plusieurs reprises, leurs agents et leurs éditeurs aussi ; tous souhaitaient que je m'exprime. Je n'avais cependant aucun regret : ce n'était pas seulement moi que je cherchais à protéger.

Lorsque j'avais appris que Randy avait encore tué en prison, qu'il avait étranglé un autre détenu vraisemblablement à la suite d'une agression sexuelle (les médias le laissaient supposer sans jamais le formuler de manière directe), c'était par le biais d'un de ces bandeaux qui défilent en permanence au bas de l'écran sur les chaînes d'information en continu. Je n'y avais pas spécialement prêté attention au début, mais quand les mots avaient enfin pénétré mon cerveau j'avais eu l'impression de recevoir une décharge électrique. Aussitôt, je m'étais précipitée vers mon ordinateur pour lire les détails sur le site de CNN, et je me rappelle clairement ma première pensée cohérente à ce moment-là : *Ç'aurait dû être lui. Pourquoi n'est-ce pas lui qui est mort ?* À ce stade, quatre ans s'étaient écoulés depuis sa condamnation, et ses différents recours en appel risquaient de retarder son exécution d'encore au moins cinq ans. Aujourd'hui, un prisonnier avait tenté d'accélérer les choses tout en permettant aux contribuables de faire des économies. Résultat, Randy avait involontairement vengé d'autres victimes – celles qui avaient péri des mains de son assaillant. J'avais commencé à trembler avant même de pouvoir éteindre mon ordinateur. Je m'étais ensuite enfermée dans la salle de bains, où j'avais étouffé mes cris et mes pleurs dans une serviette pour ne pas réveiller mon fils.

C'était alors que j'avais décidé de servir à Hayden le plus gros mensonge de tous, celui qui viendrait couronner la longue liste de mes petits arrangements avec la vérité. Car j'éludais depuis qu'il était en âge de poser des questions.

3 Le mardi matin, au bureau, il me sembla que tout le monde s'efforçait de ne pas me voir. L'atmosphère me parut différente, plus lourde, les sonneries de téléphone plus assourdies, le cliquetis des doigts sur les claviers plus pressant.

J'étais restée à la maison la veille au soir. Hayden n'avait rien dit de particulier lorsque j'étais passée le chercher, aussi en avais-je déduit qu'il n'était pas encore au courant. J'avais l'intention d'aborder le sujet avec lui, je le jure, sauf que les mots ne m'étaient pas venus. Alors je l'avais couché de bonne heure, puis j'avais pris un Xanax et je m'étais mise au lit pour regarder la télé. J'avais néanmoins changé de chaîne au moment des informations de vingt-deux heures tellement je redoutais de voir mon histoire exposée.

Le mal était fait, hélas, je m'en rendis compte ce matin-là rien qu'à la façon dont les autres employés évitaient mon regard. De plus, quinze minutes avant la réunion de service prévue à neuf heures, mon patron me convoqua dans son bureau. Jim Pendergast était quelqu'un de bien, doté d'un certain charme et divorcé depuis quelques années. Il m'avait signifié sa disponibilité de façon assez subtile, sans exercer la moindre pression, sauf que je ne pouvais me résoudre à sortir avec un collègue de travail. Ni avec personne, d'ailleurs. Deux ans après mon arrivée à Cary, j'avais traversé une phase durant laquelle je m'étais forcée à participer à des soirées spéciales célibataires, mais je me sentais toujours stupide et les hommes présents me semblaient soit tristes soit intimidants. Quant à Internet, c'était trop effrayant pour moi. Cette période remontait maintenant à quatre ans et je n'avais pas vraiment fait d'efforts depuis. Je consacrais une bonne partie de mon temps à Hayden, heureuse de savoir qu'il ne manquait pas d'attention ; du moins tentais-je ainsi de me consoler lorsque la solitude commençait à me peser. Je me disais souvent que je pouvais très bien me passer de relations sentimentales. Et que si je devais un jour tenter à nouveau l'expérience, Jim serait certainement le premier nom sur ma liste de candidats potentiels. Le seul, à vrai dire. Il était originaire de la région et j'aimais beaucoup sa gentillesse, son accent, son attitude un peu vieux jeu. Lui-même avait un fils de treize ans dont il devait beaucoup s'occuper car il avait des problèmes de développement dus à une maladie infantile, je ne me rappelais jamais laquelle.

Ce matin-là, une autre personne se trouvait dans son bureau : Susan Myers, des ressources humaines, une de ces filles en tailleur impeccable à peine sorties de la fac. En lui serrant la main, je m'étonnai de la douceur de sa peau. La mienne devenait sèche et rugueuse dès le début de l'hiver, et nous étions déjà fin janvier.

Jim me pria de m'asseoir.

« Je crois savoir de quoi vous voulez me parler », commençai-je.

Il haussa les sourcils avant de prendre l'exemplaire du *News and Observer* posé sur sa table. « Vous l'avez lu ? »

Quand je fis non de la tête, il me le tendit.

Je n'avais pas eu droit aux gros titres mais l'article faisait néanmoins la une, juste en dessous d'une photo de soldats revenant à Fort Bragg après une mission à l'étranger. Le cliché qui l'accompagnait datait de la veille et me montrait en train de monter dans ma voiture, le visage détourné. J'avais l'air contrarié, coupable. Les mots dansèrent devant mes yeux : L'EX-FEMME D'UN SERIAL KILLER IDENTIFIÉE DANS LE TRIANGLE. Et plus bas : *Certains se demandent toujours si elle était au courant.* Je me rendis soudain compte que mes doigts refermés sur le quotidien étaient agités de tremblements.

« Vous souhaitez voir ce qu'ils disent ? » demanda Susan Myers.

Je replaçai le journal sur le bureau de Jim puis lissai machinalement ma jupe. « Je m'en doute.

— D'après ce que j'ai compris, des journalistes sont venus hier, déclara Jim.

— Écoutez, je n'ai jamais abordé le sujet parce que je ne tenais pas à rouvrir ce chapitre de ma vie, répliquai-je. Si mon histoire a créé des problèmes pour quelqu'un, j'en suis désolée. »

Susan Myers s'apprêtait à prendre la parole quand Jim la devança : « Vous n'avez pas à vous excuser. Vous travaillez avec nous depuis cinq ans sans que personne n'ait jamais eu le moindre reproche à vous faire ; au contraire, vous êtes devenue un atout aussi bien pour moi que pour l'entreprise. Vous aurez toujours votre place ici, et si quelqu'un trouve à y redire, je suis tout prêt à vous défendre. Mais ce type… » Il indiqua le journal d'un geste méprisant. « Ce Pritchett… Il semble s'être donné une mission. Alors, si vous voulez mon avis, vous feriez bien de vous accorder une semaine de congé et de quitter la ville le temps que les choses se calment.

— Nous pensons que toute cette agitation ne va pas tarder à retomber, intervint Susan Myers. Nous avons demandé à la sécurité de refouler M. Pritchett ou les journalistes qui se présenteraient à l'accueil. Pourtant, il serait peut-être préférable pour tout le monde que vous suiviez le conseil de Jim. »

Soudain, et pour la première fois depuis que Charles Pritchett m'avait accostée au supermarché, j'éclatai en sanglots. Pas à cause de ce qui s'était passé ou de mes craintes pour l'avenir proche, mais tout simplement parce que mon patron et cette fille d'une vingtaine d'années me traitaient avec gentillesse et respect. Ils n'avaient pas dit : *Vous ne voulez tout de même pas nous faire croire que vous n'aviez aucune idée de ce que votre ex-mari…* Ou encore : *Vous deviez bien vous douter de quelque chose…*

41

En attendant, ils étaient tous les deux manifestement embarrassés par les larmes que je ne pouvais plus retenir. Jim s'employa à chercher des mouchoirs et, en désespoir de cause, finit par me tendre la serviette en papier qui accompagnait son petit-déjeuner, un beignet dans une boîte posée sur son bureau. Il n'avait même pas pris le temps de manger avant de m'appeler… Cette pensée ne fit que raviver mon envie de pleurer, mais je parvins à me maîtriser et je m'essuyai les yeux en essayant de ne pas trop étaler mon maquillage. Quand je voulus leur renouveler mes excuses, Jim et Susan m'en dissuadèrent. Je leur dis alors que je tenais à terminer ma journée, ne serait-ce que pour me changer les idées. Susan parut hésiter, puis se rangea finalement à mon point de vue. Elle me recommanda de prendre soin de moi et de « tâcher de me distraire ».

Je regagnai donc mon poste, où je restai jusqu'au moment où je ne fus plus capable d'ignorer les voix des employés dans mon service. Comment les gens peuvent-ils s'imaginer qu'on ne les entend pas dans un bureau paysagé ? Mes collaborateurs, sept femmes et un homme, tous fiables, aimables et consciencieux étaient aussi, malheureusement, des commères invétérées. Célébrités, voisins, collègues, membres de leur congrégation religieuse… personne n'échappait aux rumeurs et aux insinuations. Ainsi, au cours de la matinée, je surpris à plusieurs reprises des bribes de conversation : « Leigh, ce n'est même pas son vrai nom… D'accord, c'est son deuxième prénom… Nina, ça lui va mieux… Vous avez vu la tête qu'elle avait, à l'époque ? Et son mari, d'accord je ne devrais pas dire ça en sachant ce qu'il a fait et tout, mais il était drôlement sexy… » Cette dernière remarque eut raison de mes ultimes ressources de sang-froid et je me précipitai dans le couloir jusqu'aux toilettes, consciente des regards qui me suivaient. Enfin, je me réfugiai dans la dernière cabine de la rangée.

Quelqu'un avait laissé traîner la première page du *News* sur la barre de support près du dévidoir de papier hygiénique. Ce n'était pas la première fois qu'un quotidien finissait dans les toilettes ; ce jour-là, pourtant, je ne pus m'empêcher de penser qu'il s'agissait d'un message à mon intention. Au bout d'un moment, je finis par m'en emparer.

Pour l'essentiel, l'article se contentait de recenser les crimes odieux commis par Randy. Il citait les surnoms que la presse lui avait donnés à l'époque, avant que les meurtres ne soient résolus : le Mauvais Œil, le Moissonneur… Dans une colonne à côté figurait la liste nominative des victimes, de même que la date de leur mort. Ou, dans le cas de Wendy Pugh et de Tyler Renault, la date où leur corps avait été découvert. Le journaliste décrivait ensuite la façon dont Randall Roberts Mosley avait été blessé par balle et capturé juste devant chez lui, sous les yeux de sa femme et de son jeune fils.

Du sensationnel à cent pour cent.

Il y avait un cliché de moi que je ne me rappelais pas avoir jamais vu ; il avait sans doute été pris après notre mariage et très certainement avant ma grossesse, j'avais l'air si jeune ! On m'aurait donné vingt ans de moins. En réalité, il ne s'était écoulé qu'un peu plus de dix ans, mais je savais maintenant que le temps est une notion toute relative. Cette fille au sourire insouciant, cette pauvre idiote que j'étais alors ne se doutait pas que le temps pouvait s'étirer, s'accélérer brusquement ou au contraire s'arrêter complètement… Le texte mentionnait brièvement la façon dont « les policiers avaient été alertés par un appel de Mme Mosley, qui venait de tomber sur des preuves accablantes de la culpabilité de son mari ». Suivait une autre photo de moi où l'on me voyait sur les marches du tribunal le jour de mon témoignage initial. Le journal rapportait certaines déclarations de la police à l'époque, selon lesquelles j'avais été soupçonnée de complicité parce que de faux papiers d'identité établis à mon nom avaient été découverts dans les affaires de Randy et que des traces de mon ADN avaient été relevées sur deux des scènes de crime. Les enquêteurs avaient en effet trouvé sur place des cheveux qu'ils avaient identifiés comme étant les miens, mais ils avaient rapidement conclu qu'ils avaient dû tomber des vêtements de Randy. La police ne m'avait jamais accusée d'aucun crime, ce qui n'avait cependant pas empêché les médias de formuler toutes sortes d'hypothèses à mon sujet.

Je dus prendre sur moi pour ne pas jeter le journal et hurler : *C'est exactement ce qu'il voulait ! Il a organisé toute cette mise en scène pour m'impliquer !* Mais cela n'aurait servi à rien, aussi me bornai-je à laisser couler mes larmes – des larmes brûlantes, des larmes de honte qui ne me procurèrent aucun soulagement.

La troisième partie de l'article, consacrée à Charles Pritchett, relatait l'assassinat de sa fille par Randy. « Je me suis toujours interrogé sur le rôle exact de Nina Mosley, un aspect qui n'a pas été abordé de manière satisfaisante pendant le procès », disait le père de la victime. Il évoquait ensuite ses années de détresse, racontait qu'il avait engagé un détective privé pour remonter jusqu'à moi. Il prévoyait maintenant de poursuivre sa quête jusqu'à obtenir des réponses à toutes ses questions. « Je ne supportais pas de penser qu'une personne au passé aussi chargé puisse vivre parmi les habitants de cette ville sans qu'ils se doutent de rien, ajoutait-il. Il y a beaucoup de familles avec des enfants, par ici. »

J'aurais voulu le haïr. Cet homme allait probablement saccager tout ce que j'avais eu tant de mal à reconstruire, à sauver des ruines cauchemardesques que mon mari avait laissées dans son sillage… Mais Carrie Pritchett n'avait que vingt-deux ans au moment de sa mort – le même âge que moi à l'époque. Elle n'avait jamais eu l'occasion de fêter son vingt-troisième anniversaire. Randy l'avait privée de ses yeux, qu'il avait remplacés par des agates, avant d'abandonner le corps défiguré sur le sol de l'appartement qu'elle occupait. Des amis l'avaient trouvée ainsi le lendemain matin lorsqu'ils s'étaient présentés chez elle, étonnés par son absence à un examen.

La porte des toilettes s'ouvrit soudain et je reconnus les voix de deux de mes collègues, Betsy et LaTonya.

« Je me sentirais plus rassurée si elle n'avait pas menti, disait Betsy. Après tout, elle n'y était pour rien, on aurait pu comprendre… Mais cette volonté de dissimulation, je ne sais pas, ça me…

— Elle a un gosse, bon sang ! À sa place, t'aurais pas changé de nom, toi ?

— Peut-être, si. Putain, t'imagines ? Découvrir que l'homme avec qui tu couches est un meurtrier ?

— Pire, un serial killer ! C'est pas comme s'il avait abattu quelqu'un pour du fric ou un truc comme ça. Non, si j'ai bien compris, c'était un nouveau Ted Bundy. »

J'avais essayé de me contenir jusque-là mais je laissai soudain échapper un sanglot, une sorte de hoquet qui se répercuta dans la pièce aux murs carrelés. Aussitôt, j'eus l'impression de voir les deux femmes rougir en indiquant de la main la cabine fermée qui me servait de refuge et articuler en silence : «Oh, mon Dieu… » Je ne distinguai pas leurs paroles suivantes, juste des chuchotements inintelligibles, puis elles s'éclipsèrent.

IV

1 Il arrivait souvent à Randy de rentrer à la maison couvert d'écorchures et de contusions, soit après un voyage d'affaires, soit à la suite d'une simple promenade l'après-midi. Il aimait bien que j'en suive le tracé du bout des doigts lorsque nous avions fait l'amour et que nous regardions paresseusement la télé sans avoir envie de parler. Dans ces moments-là, les caresses établissaient un lien profond entre nous et je laissais mes mains s'attarder à plaisir sur ses griffures. Ce n'étaient pas des marques révélatrices d'ébats torrides, je le savais, et pourtant les explications oiseuses qu'il me donnait chaque fois que je l'interrogeais à leur sujet créaient toujours des remous au plus profond de ma conscience.

« Ils étaient en plein réaménagement de l'usine à Los Angeles et je me suis fait mal en les aidant à déplacer les machines, avait-il affirmé un jour pour répondre à ma question. Drew Holloway a pondu une sorte de plan pour tout réorganiser, soi-disant dans le but d'augmenter la productivité de quatre pour cent ou une connerie de ce genre. »

Ce qui n'expliquait pas vraiment la présence de cette longue estafilade qui allait de sa nuque au bas de son omoplate gauche. Ni pourquoi un chargé du contrôle qualité, qui en général ne restait dans les ateliers que le temps de vérifier les moyens de production et de superviser la tenue des documents, avait décidé ce jour-là d'assister les ouvriers chargés du travail de force.

En réalité, pendant sa tournée d'inspection des usines de Jackson-Lilliard à Los Angeles, Randy avait profité de sa dernière soirée en ville pour torturer puis tuer Carrie Pritchett. C'était l'une des quelques victimes qui lui avaient résisté, et des années plus tard les fragments de peau prélevés sous trois des ongles de sa main droite contribueraient à le faire condamner.

J'effleurais tendrement ses blessures. Je les embrassais, parfois. Mes caresses l'excitaient, et il finissait toujours par m'envelopper de ses bras puissants, par refermer ses mains calleuses sur mes seins. J'adorais me laisser ainsi emporter par son désir.

Une autre fois où il semblait avoir reçu un coup de poing dans les côtes, il m'avait raconté qu'une espèce d'individu mal embouché transportant un énorme sac l'avait bousculé dans l'allée centrale de l'avion alors qu'ils étaient encore sur la piste de Sea Tac. Randy et d'autres passagers avaient presque failli en venir aux mains et l'hôtesse avait fini par obliger le malotru à descendre de l'appareil. «Tu as de la chance de ne pas avoir à voyager pour ton boulot, m'avait-il dit. Tu ne peux pas savoir le nombre de connards que tu croises dans les aéroports. Ce type, c'était le genre représentant minable qui n'est plus dans le coup depuis vingt ans et qui a décidé de le faire payer à tout le monde.»
Ses histoires étaient toujours émaillées de détails anecdotiques. Cette fois-là, il rentrait de Calgary, c'était son premier voyage au Canada. Deux jeunes femmes avaient disparu pendant qu'il séjournait en ville mais la police n'avait aucune piste ni aucun suspect, comme je l'apprendrais beaucoup plus tard dans les archives des journaux de l'époque. Les corps ne seraient jamais retrouvés.
Aujourd'hui, la forme de cette ecchymose est toujours gravée dans mon esprit : elle prenait naissance juste en dessous de l'aisselle droite et descendait jusqu'à la troisième ou quatrième côte, jaune et violet en son centre, à peu près grosse comme un poing fermé.

2 Lorsque je tombai enceinte de Hayden, je savais déjà qu'il y avait un problème mais à ce stade ma frayeur résidait à un niveau si profond qu'elle provoquait chez moi des troubles obsessionnels compulsifs. La peur ne vous fait pas hurler ; non, la véri-

table peur vous paralyse au point que vous osez à peine respirer. Vous en êtes réduit à prier pour que l'objet de toutes vos craintes ne vous remarque pas, qu'il poursuive son chemin sans vous prêter la moindre attention. Pensez à vos pires cauchemars, ceux qui vous font battre le cœur à tout rompre quand vous ouvrez brusquement les yeux dans l'obscurité de votre chambre : le plus souvent, vous ne vous êtes pas réveillé en criant mais en essayant de reprendre votre souffle.

Randy me poussa à démissionner de chez Shaw Associates quand nous apprîmes que j'attendais un bébé. Au début, je ne voulais pas en entendre parler, d'autant qu'on me faisait miroiter une autre promotion, cette fois comme directrice du service marketing, une place que je convoitais déjà depuis un certain temps. Il m'avait cependant rappelé que nous nous étions mis d'accord sur ce point avant même notre mariage, et comme il ne désarmait pas j'avais fini par me résigner. Randy m'avait toujours dit qu'il souhaitait une « famille traditionnelle », où le père assurait la subsistance de tous pendant que la mère élevait les enfants. L'idée ne m'avait pas déplu à l'époque de nos fiançailles, elle me paraissait même vaguement pittoresque, mais c'était compter sans la passion que je m'étais découverte pour mon travail. Malgré tout, Randy avait réussi à me convaincre qu'un foyer idyllique façon Rockwell était préférable pour notre enfant, citant pour étayer ses dires des arguments prétendument tirés de revues de psychologie. Il m'avait également assuré que je pourrais reprendre ma carrière dès que notre progéniture serait en âge d'aller à l'école.

Mais toutes ces journées vides laissaient amplement la place à la peur de s'installer. Dans un premier temps, je parvins à me persuader que c'était juste une conséquence du désœuvrement. Alors je m'efforçai de trouver des occupations. Notre maison était impeccable, aucun grain de poussière n'échappait à ma vigilance. Au bout de six mois, je devenais folle. Randy commença à se plaindre de mon attitude, disant que je devrais demander conseil au médecin parce qu'il ne supportait plus de me voir tourner en permanence autour de lui avec un chiffon à poussière, la serpillière ou l'aspirateur. « J'ai toujours l'impression que tu me suis à la trace, que tu observes tous mes faits et gestes, me reprocha-t-il. Ça me tape sur le système, tu comprends ? »

Je lui répondis que oui. J'accusai les changements hormonaux. Je me réfugiai dans l'humilité avec une facilité déconcertante. *Ne te fais pas remarquer*. Je lui promis d'en parler au médecin puis je montai au premier m'enfermer dans son ancien bureau reconverti en nursery. Notre ordinateur s'y trouvait toujours, juste à côté du nouveau berceau. Je me connectai sur Internet pour lire les derniers articles parus sur le meurtre de Keith et Leslie Hughes, qui à ce jour n'avait pas encore été élucidé. Ils habitaient Bakersfield, à deux ou trois heures seulement de chez nous. Ils avaient été tués six mois plus tôt mais, c'était plus fort que moi, je continuais à suivre l'enquête. Les rapports initiaux avaient mentionné une mutilation, sans préciser de quel ordre. J'avais souvent envisagé de passer un coup de téléphone anonyme à la police de Bakersfield. « Ça concerne leurs yeux ? aurais-je demandé. Est-ce qu'on a touché à leurs yeux ? »

Je n'avais jamais appelé. J'avais de soudaines crises de tremblement, de jour comme de nuit. J'aurais donné n'importe quoi pour un calmant, un verre d'alcool ou un somnifère mais je ne pouvais rien prendre à cause du bébé. Le ménage m'aidait un peu : la répétition des mêmes mouvements avait un effet apaisant et surtout m'empêchait de penser à ce qui risquait d'arriver après la naissance de notre enfant.

Je regardais Randy s'admirer devant le miroir de la salle de bains. Dans notre seconde maison, la salle de bains principale communiquait avec notre chambre, et lorsque mon mari pensait que je ne le voyais pas ou s'en fichait, tout simplement, il prenait des poses devant la glace. Il se faisait couper les cheveux en brosse désormais, ce qui lui donnait l'air plus sévère qu'au moment de notre rencontre. Je me disais souvent qu'il devait soulever des poids dans la remise au fond du jardin, parce que ses muscles se dessinaient beaucoup plus nettement qu'avant malgré le passage des années. Sans doute avait-il conscience de l'approche de la maturité et s'efforçait-il de limiter les dégâts du temps… Une saine estime de soi était une chose, mais le comportement de Randy me paraissait friser le narcissisme, surtout en ce qui concernait les écorchures et les contusions. Il les examinait toujours les yeux brillants, comme s'il en retirait une fierté sans borne. Je me rappelle encore la forme de chacune d'entre elles. Au bout d'un moment, j'avais cessé de l'interroger sur leur origine. Je me contentais de les recenser mentalement et d'étouffer mes pressentiments quant à ce qu'elles suggéraient.

Un trio de griffures superficielles au-dessus de l'œil gauche. Cette fine ligne blanche de sa nuque à son épaule. Les sillons roses sur son ventre et son torse. Pour la plupart, les traces étaient peu profondes et disparaissaient rapidement, mais quelques-unes devaient laisser des marques permanentes.

Certains s'étaient défendus avec courage. Keith Hughes avait reçu plus de cinquante coups de couteau avant de succomber ; l'ADN prélevé sous ses ongles servirait aussi plus tard à incriminer mon mari. Jamie Hefner, Buddy Beckman, Daphne Snyder, tous s'étaient débattus avec l'énergie du désespoir avant que Randy ne leur assène les coups fatals. Bien malgré moi, je l'imaginais parfois debout à côté d'eux pendant que la vie les désertait, se repaissant de leur agonie comme un vampire, haletant, épuisé et grisé par ses prouesses.

Après leur mort, il se remettait au travail.

Quand il me rejoignait au lit, je lui faisais l'amour de façon machinale, distraite, en me concentrant sur ma prochaine lessive ou les sols à récurer. Randy avait pris l'habitude de placer une main sur mes yeux quand il approchait de l'orgasme, en appuyant suffisamment fort pour que je voie de petites étoiles exploser derrière mes paupières closes. Au début, ce geste m'avait effrayée, et ensuite, avant ma grossesse, il m'avait excitée. Une fois, je voulus essayer sur lui mais il écarta fermement ma main. Avec le temps, j'appris à souhaiter ces ténèbres, à les laisser m'engloutir en espérant que la lumière ne reviendrait pas. Car la lumière révélait trop de choses, partout autour de moi, de sorte que si je détournais mon regard de l'une d'elles, c'était pour en découvrir aussitôt une autre.

Les cicatrices… Randy adorait les siennes, il les choyait presque. Les miennes, invisibles, résultaient des blessures causées par chacune de ses dérobades et de ses remontrances condescendantes, qui érodaient peu à peu mon orgueil et ma tranquillité d'esprit. Ces cicatrices-là, ô combien profondes, ne cesseraient jamais de me hanter.

V

1 Depuis qu'il était en âge de comprendre que la plupart de ses camarades avaient un père, Hayden m'interrogeait fréquemment au sujet du sien. Au début, quand il était petit, j'esquivais ses questions en disant que je lui expliquerais tout lorsqu'il serait grand. Mais vous savez comment sont les enfants : ils grandissent plus vite que vous ne le souhaiteriez. À cette époque, j'envisageais toutefois de lui dire la vérité un jour.

Juste après sa condamnation et son incarcération, Randy avait fait plusieurs tentatives pour retrouver notre trace. Il avait envoyé chez ma mère des lettres toujours adressées à Hayden, jamais à moi. J'avais demandé à maman de les jeter sans les ouvrir, mais bien sûr elle n'avait pu s'empêcher de les lire. Elles lui donnaient des frissons, m'avait-elle confié. Randy voulait conserver un lien avec son fils. Il prétendait en avoir légalement le droit. Et peut-être était-ce vrai.

Alors j'avais changé de nom et déménagé à l'autre bout du pays. Aujourd'hui, Hayden ne savait même pas qu'il avait été un jour un Mosley. Lorsqu'il avait eu trois ans, il était devenu évident pour moi que je devais à tout prix le protéger de la vérité – du moins tant que je l'estimais trop fragile pour la supporter. Je veux dire, comment faire pour prononcer ces mots : « Ton père était un meurtrier qui a torturé et assassiné une douzaine de personnes » ? En attendant, il fallait bien que je trouve quelque chose. Partout où nous allions, en courses ou ailleurs, il était attiré par les hommes adultes, tendait la main vers eux pour attraper le bas de leur veste. Je le voyais plisser les yeux lorsqu'il les regardait porter leurs rejetons sur leurs épaules au parc ; il paraissait même fasciné par les pères qui réprimandaient leurs enfants dans les restaurants.

À force, mes dérobades avaient provoqué chez lui des crises de colère. Résultat, je m'étais sentie obligée d'improviser. Je lui avais raconté que son papa avait fait des choses terribles et que du coup maman ne pouvait plus vivre avec lui. Il avait volé de l'argent, avais-je prétendu. Et d'expliquer que c'était mal, que nous ne devions pas laisser quelqu'un comme lui entrer dans notre vie. J'avais perçu la douleur dans le regard de mon fils. Elle me paraissait cependant préférable à la réalité.

Puis la télévision avait diffusé l'information selon laquelle Randy avait tué un autre détenu.

Plus tard, lorsque Hayden avait de nouveau mentionné son père, je l'avais fait asseoir pour lui dire qu'il était mort à la suite d'une bagarre en prison.

Ce n'était sans doute pas la meilleure solution, je l'admets. En attendant, je croyais que cela suffirait à clore le sujet une bonne fois pour toutes. J'espérais ainsi échapper à d'autres questions, et si de fait Hayden n'en avait pas posé, je l'avais cependant entendu pleurer dans son lit cette nuit-là. Or je n'avais pu me résoudre à aller le réconforter. Une pensée me hantait : *Se rappelle-t-il les coups de feu tirés dans notre jardin d'El Ray ?* Il n'avait pas encore un an au moment de l'arrestation de Randy, mais peut-être en avait-il gardé le souvenir au plus profond de son esprit, là où se forment les rêves. Il avait toujours eu le sommeil léger et il parlait souvent la nuit, débitant une espèce de charabia incompréhensible qui me bouleversait quand je l'entendais de la chambre voisine où j'étais couchée seule, le cœur battant et les yeux grands ouverts.

Oh, évidemment, j'étais sûre qu'il finirait par tout découvrir à un moment ou à un autre. Que viendrait le jour, peut-être au cours de son adolescence, voire plus tard, où il me dirait : « Écoute, maman, je sais que tout ce que tu m'as raconté sur papa, c'étaient des craques. Maintenant, je veux la vérité. » Mais, à ce stade, ce serait un jeune homme solide, équilibré, capable de surmonter le choc, d'affronter la réalité sans qu'elle le brise ou le souille de façon irrémédiable.

Sauf que Charles Pritchett et la presse locale avaient décidé à ma place qu'aujourd'hui serait le jour, et peu leur importait que je ne sois pas prête ou que mon fils le soit encore moins que moi.

2   L'arrêt du car scolaire se situait à un pâté de maisons de chez nous. En général, Hayden respectait mes consignes strictes – il rentrait directement et verrouillait la porte en attendant mon retour du travail –, mais depuis quelque temps il avait tendance à s'attarder chez les McPherson. Ce jour-là, je garai ma voiture le long du trottoir pour l'attendre à sa descente du bus. Après avoir entendu la discussion entre mes collègues dans les toilettes, j'avais pris le reste de ma journée. Jim m'avait répété d'un ton catégorique qu'il ne voulait pas me revoir au bureau avant au moins une semaine, puis il avait ajouté que je pouvais l'appeler si j'éprouvais le besoin de parler à quelqu'un. Il m'avait donné le numéro de son domicile et de son portable, et je les avais dûment enregistrés dans la mémoire de mon mobile.

La peinture jaune vif du véhicule scolaire ne parvenait pas vraiment à faire oublier sa fonction première de moyen de transport pour les prisonniers de Caroline du Nord : le système éducatif en avait acheté une flottille entière à l'État l'année précédente pour trois fois rien, et ils se caractérisaient tous par un capot arrondi, inesthétique, qui les rendait bien différents des bus de l'Oregon, où j'avais passé ma jeunesse. D'autant qu'on avait laissé le grillage sur les vitres, peut-être dans l'idée qu'il offrirait une protection sup-plémentaire aux enfants en cas d'accident. L'effet était cependant dérangeant.

Les portes s'écartèrent dans un chuintement pneumatique. Sept ou huit bambins se précipitèrent dehors, chargés de sacs à dos bien trop gros pour eux ; ils furent suivis par deux fillettes qui sautillèrent sur le trottoir près de ma voiture en se racontant d'un ton surexcité ce qu'un certain Kevin avait osé faire après la récréation. Un autre petit garçon apparut derrière elles, un téléphone portable collé à l'oreille ; il n'avait sans doute pas plus de huit ans. Ne voyant tou-jours aucun signe de Hayden, je sentis ma gorge se nouer. Enfin il s'encadra dans l'ouverture et descendit les trois marches d'un pas chancelant, l'air tellement abattu qu'il semblait avoir toutes les peines du monde à maintenir son équilibre. Aussitôt, mon cœur se serra ; je compris qu'il y avait un problème avant même que mon fils ne lève la tête, me révélant sa frimousse sillonnée de traînées de morve.

Le chauffeur le suivit un instant des yeux puis reporta son attention sur moi au moment où je poussais la portière côté passager en appelant Hayden. Il me dévisageait encore lorsqu'il pressa un bouton pour refermer les portes du car.

« Salut, champion ! » lançai-je à mon fils qui s'asseyait à côté de moi. Sans un mot, il attrapa la portière à deux mains et la claqua. Je lui demandai d'attacher sa ceinture, ce qu'il fit de façon mécanique, comme un robot. Ma gorge desséchée me brûlait. *Sois forte*, pensai-je, *c'est maintenant ou jamais, il a désespérément besoin de toi parce que tu es tout pour lui, et si tu t'effondres il n'y aura personne pour recoller les morceaux, et tu ne sais pas à quel point il pourra en souffrir...* « Ça va ? »

Quand il tourna la tête vers moi, ses yeux exprimaient une froideur indicible. Deux puits d'ombre insondables. Je forçai néanmoins un sourire avant de démarrer en direction de la maison. Alors que la porte du garage se refermait derrière nous, je voulus lui prendre la main mais il avait déjà sorti sa clé et ouvert la portière. Il était rentré chez nous et monté à l'étage avant même que je n'aie eu le temps de récupérer la mallette de mon ordinateur portable sur la banquette arrière.

Je le trouvai dans sa chambre, à plat ventre sur sa couette, secoué de sanglots. Les rideaux étaient tirés et la seule lumière dans la pièce provenait de l'économiseur d'écran de son PC Junior. Je m'assis à côté de mon fils et lui caressai les cheveux. « Mon bébé..., commençai-je.

— C'est vrai ? » demanda-t-il, la tête toujours enfouie dans son oreiller. Sa question résonna à mes oreilles comme un cri de douleur. « Il est toujours vivant et c'est pas un voleur ? Tout ce que les autres ont raconté à l'école sur lui, c'est... c'est vrai ? »

Cette fois, je ne pouvais plus reculer. « Oui. »

Il me fit face, me révélant une expression étrangement adulte – celle, poignante, de la confiance trahie. Ce fut plus fort que moi, je sentis les larmes affluer et je dus fournir un gros effort pour les ravaler. Le regard de Hayden était implacable. « Tu m'avais dit que… que papa était mort, bredouilla-t-il. Pourquoi t'as menti ? Tu… Tu me répètes tout le temps que c'est pas bien de mentir.

— Oh mon chéri, je suis tellement désolée… » Il ne chercha pas à résister quand je l'attirai à moi mais il garda les bras ballants. Combien de fois mon cœur pouvait-il se briser ? Pendant combien de temps Randy, bien qu'enfermé derrière des barreaux à l'autre bout du pays, continuerait-il à nous torturer ? « Je ne savais pas comment te le dire.

— Il a tué des gens ? Comme ça, pour rien ? » Il s'écarta de moi en répétant la question.

« Écoute-moi, Hayden, c'est important. Ton père est très malade. Tu te rappelles quand tu as attrapé la varicelle, à l'école maternelle ?

— Oui, murmura-t-il.

— Eh bien, ce n'était pas pareil pour ton père. Lui, il était malade dans sa tête. Je ne m'en suis pas rendu compte quand je l'ai rencontré parce qu'il faisait semblant d'aller bien et que c'est plus facile de le cacher quand on est malade dans sa tête plutôt que dans son corps. Il n'y a pas de signes visibles, tu vois ? Il paraissait normal, sauf qu'il ne l'était pas. Je ne m'en suis aperçue que des années après ; entre-temps, tu étais né et je n'avais aucun moyen de réparer les torts causés par ton père. Au moins, j'ai réussi à l'empêcher de continuer en avertissant la police dès que j'ai découvert ce qui se passait. »

Dans mon esprit se bousculaient déjà tous les arguments creux que je me répétais depuis des années. *Ce n'est pas ma faute, je n'y suis pour rien, comment aurais-je pu me douter de ce qu'il était vraiment, deviner sa véritable nature ? Personne n'aurait pu imaginer…*

Mais c'était mon fils, je n'avais pas le droit de me dérober plus longtemps. « J'avais peur de lui, mon cœur, avouai-je. Peur qu'il nous sépare, toi et moi, si je lui disais à quel point il était malade. Ou qu'il te fasse du mal, peut-être. Et plus tard, quand tu as été en âge de poser des questions, j'ai pensé que ce serait mieux pour tout le monde si tu le croyais mort. »

Il m'observait à distance, arborant toujours cette même expression trahie, mais il avait arrêté de sangloter et semblait concentré.

Sans doute s'efforçait-il d'analyser ces notions de folie et de sens des responsabilités – des idées abstraites qu'en général on n'essaie pas d'inculquer à un enfant de sept ans. Soudain, je me rendis compte que, pour la première fois, il venait de me surprendre à mentir. Plus jamais il ne me regarderait comme il l'avait fait le matin même. Moi, je n'avais pas oublié la première fois où j'avais surpris mes parents à mentir… Ma lèvre se mit à trembler et je me forçai à respirer plus calmement.

« Tu te souviens de ce jour, l'année dernière, où ce garçon t'a volé ta balle de base-ball ? Quand la maîtresse a demandé qui l'avait prise, il n'a pas voulu répondre mais elle l'a trouvée cachée dans son sac à dos…

— Oui, c'était Brian Carter. » Mon petit bonhomme semblait sur la réserve, attendant sans doute de voir où je voulais en venir.

« Brian, c'est ça. Tu te rappelles qu'à l'époque, je t'ai dit que c'était mal de voler mais encore pire de mentir ? Et que, s'il avait avoué, la maîtresse ne l'aurait pas puni ? »

De nouveau, il hocha la tête.

« Eh bien… voilà, je pensais qu'en te cachant la vérité sur ton père, je t'épargnerais des souffrances inutiles. Personne n'a envie d'apprendre ce genre de chose sur ses parents, et crois-moi, je hais ton père pour nous avoir imposé une telle épreuve, je le haïrai jusqu'au jour de sa mort. » Hayden en resta bouche bée ; il savait que « haïr » était un vilain mot. « Tu comprends ? Je voulais seulement te protéger. Mais tu vois, la vérité a fini par éclater, comme quand Brian t'a volé ta balle… C'est pour ça qu'il vaut mieux la dire tout de suite, même si c'est douloureux. Je sais que je ne l'ai pas fait, que je t'ai trahi. Et je suis désolée. J'ai eu tort. À partir de maintenant, je te promets de ne plus recommencer. »

Je voyais le doute dans son regard, je devinais le raisonnement à l'œuvre derrière le désarroi évident. *Elle m'a menti toute ma vie, comment pourrais-je la croire aujourd'hui ? Qu'est-ce qui est vrai dans tout ce qu'elle m'a raconté ?*

Ce jugement silencieux me faisait froid dans le dos. Je tentai une manœuvre désespérée pour sauver la mise, terrifiée par la pensée de ne pas pouvoir reconquérir sa confiance. « Hayden ? Franchement, est-ce que je t'ai menti souvent ?

— Je sais plus, maintenant.

— D'accord. Tu te rappelles, l'été dernier, quand je t'ai dit que M. Donahue enfreignait la loi en arrosant son jardin pendant la sécheresse ? Tu ne m'as pas crue, parce que d'après toi il était trop gentil et trop vieux, et que c'était seulement de l'eau. Mais après, tu as vu les policiers arriver et lui donner une amende, non ?

— Mmm…

— Et cette fois où je t'ai expliqué que le petit garçon du feuilleton *Hey, Simon* ne s'était pas réellement perdu dans les bois mais qu'il faisait semblant pour la télévision ? Plus tard, quand il est venu au centre commercial, tu lui as demandé un autographe. Je ne t'avais pas menti, hein ?

— D'accord, admit-il. Je comprends. Mais c'est pas vraiment pareil, m'man.

— Je sais.

— Et Ashton, à l'école, il a dit que si papa était un criminel, j'en serais un moi aussi parce que c'est générique. »

Je tentai de réprimer la brusque bouffée de colère suscitée par ces mots tout en me jurant d'avoir une petite discussion avec la mère d'Ashton Hale la prochaine fois que je la verrais. En supposant qu'elle veuille encore m'adresser la parole… « À mon avis, Ashton a confondu "générique" et "génétique", mon chéri. Et puis, tu ne devrais pas l'écouter, ce gamin raconte n'importe quoi. La génétique, c'est l'ensemble des caractéristiques physiques que les mamans et les papas transmettent à leurs fils ou à leurs filles. Tu peux très bien hériter la couleur des cheveux de ta mère ou la taille de ton père, par exemple, mais ça ne veut pas dire que tu agiras comme eux. Des tas d'enfants ont un parent méchant, parfois même les deux, et ça ne les empêche pas de devenir des adultes tout à fait gentils. On est toujours libre de ses choix. »

Je me souvenais encore de ma mère s'efforçant de fermer les yeux sur les infidélités de mon père. Je me souvenais encore des mensonges qu'elle se racontait – et me racontait.

« Dis, est-ce que je lui ressemble ? » demanda Hayden.

Sa question me prit de court. Oui, bien sûr, il ressemblait à son père. À part ses fins cheveux bruns et ses joues rondes, qu'il tenait de moi, c'était le portrait tout craché de Randy. Même menton pointu, mêmes yeux d'un brun foncé presque noir. Même teint mat et même sourire facile, un peu grimaçant lorsqu'il se forçait. Et même façon caractéristique d'incliner la tête quand il réfléchissait.

« Pas tellement, prétendis-je.

— T'as des photos ?

— Je les ai jetées. Maintenant, écoute-moi. Ce que ton père a fait était mal, Hayden ; on ne peut pas faire pire. Et il a recommencé plusieurs fois. Il m'a menti comme il a menti à tout le monde, mais au bout du compte il a été arrêté et la police l'a envoyé en prison. Il y restera jusqu'à la fin de sa vie, tu entends ? Il ne sortira jamais. » Je songeai un instant à lui expliquer la peine de mort, avant de décider qu'il en avait suffisamment entendu pour la journée. « Pour moi, il a eu ce qu'il méritait, ajoutai-je, avec l'impression de m'adresser au père à travers mon petit garçon innocent. C'est aussi ce que pensent la plupart des gens.

— Mais s'il est malade, il peut pas guérir ? Les docteurs peuvent pas le soigner ?

— Non, Hayden. Dans certains cas, il n'y a pas de traitement possible. Quant à moi, j'aurais peut-être pu lui pardonner s'il avait au moins essayé d'aller mieux. Il savait que la maladie le poussait à commettre des actes terribles, mais il n'a jamais tenté de résister. Alors je t'en prie, évite de penser à lui. Et si Ashton ou d'autres gosses t'en reparlent à l'école, tâche de les ignorer. De toute façon ils ne tarderont pas à s'intéresser à autre chose, et toi tu resteras le petit bonhomme adorable que tu as toujours été. Tu ne seras jamais comme ton père, Hayden, d'accord ? Je te le promets. »

Je devais conserver une certaine crédibilité, parce que ses larmes jaillirent de nouveau, et cette fois ce fut lui qui se pencha vers moi pour nouer ses petits bras frêles autour de mon cou.

3   Ce soir-là, je le couchai de bonne heure. Au lieu de m'embrasser, comme d'habitude, il se tourna vers le mur en murmurant : « Je t'aime, m'man. » Sa voix me parut cependant manquer de conviction.

Peut-être apprendrait-il un jour à mentir aussi facilement que les adultes…

Je me sentais toujours à cran mais je ne voulais pas prendre de cachets. Aussi, pour m'occuper l'esprit, décidai-je de me connecter sur Internet afin de consulter les dernières éditions du *Memphis Star*. Il n'y avait qu'un bref entrefilet concernant l'assassinat de Julie Craven : l'affaire n'était toujours pas résolue et la police avait lancé un appel à témoins. Un porte-parole déclarait que les enquêteurs n'avaient pas fini d'interroger les résidents de l'immeuble où elle vivait ; jusque-là, cependant, « aucune piste intéressante » n'avait été identifiée. Pour la première fois, j'envisageai d'alerter les autorités de Cary. Pourrais-je les convaincre que l'article laissé par Charles Pritchett sur mon pare-brise constituait une forme de menace ? Il voyait manifestement un lien entre ce meurtre récent et les crimes de Randy, et par conséquent avec moi, sans que je comprenne pourquoi. Après tout, des gens se faisaient tuer chaque jour, et Randy se trouvait derrière les barreaux, dans le couloir de la mort d'un quartier de haute sécurité à presque cinq mille kilomètres de là.

Lorsque j'allumai le téléviseur pour regarder les informations de vingt-deux heures, je tombai sur Charles Pritchett interviewé par une journaliste de Channel 11. Celle-ci, une jolie femme nommée Jennifer McLean, lui posait des questions orientées sur la campagne qu'il menait contre moi. Une fois de plus, il raconta avec patience et courage ce qui était arrivé à sa fille – un récit illustré par des images d'archives tournées au moment du procès de Randy. Elles montraient entre autres l'immeuble où le corps de Carrie Pritchett avait été découvert mais je ne relevai pas de ressemblances évidentes avec la scène de crime de Memphis. Pritchett répéta ensuite qu'il n'était pas convaincu par les conclusions de la police californienne, selon lesquelles je ne savais rien des agissements de mon mari. Jennifer McLean semblait sceptique, d'autant qu'elle avait apparemment effectué des recherches : elle s'était entretenue avec les autorités locales qui, rapporta-t-elle, n'avaient jamais enregistré la moindre plainte à mon sujet. Cela me paraissait étrange d'entendre ainsi mentionner mon nom – celui que je n'avais pas utilisé depuis des années ; à vrai dire, j'éprouvais un tel sentiment d'irréalité que je dus résister au désir de me pincer. Enfin, la journaliste demanda à Pritchett pourquoi il s'acharnait autant contre une personne qui n'avait créé aucun problème dans la région.

« Elle a changé de nom pour essayer de se faire oublier, déclara-t-il. Moi, je ne peux pas échapper à ce qui s'est passé. Je ne vois pas pourquoi elle en aurait le droit. »

L'indignation me gagnait peu à peu. En conclusion de l'interview, Jennifer McLean parla de la façon dont Charles Pritchett avait fait fortune à Los Angeles en proposant ses services de traiteur à des célébrités, puis vendu son affaire après la mort de sa fille. Quand elle mentionna la « croisade » qu'il avait engagée contre moi, en accentuant le terme de manière légèrement ironique, j'éprouvai aussitôt un élan de sympathie pour elle. Jusque-là, aucun de ses confrères n'avait osé contester les motivations de Charles Pritchett car, après tout, c'était une Victime.

Pour la première fois depuis des années, je me surpris à avoir terriblement envie d'une cigarette ; j'avais presque l'impression de la tenir entre mes doigts, de sentir le goût de la fumée… Ils en vendaient dans un magasin à quelques minutes d'ici, je pourrais y aller et revenir sans que Hayden se rende compte de mon absence.

Sauf que j'avais arrêté de fumer à cause de lui, justement. Pas pour les raisons habituelles, cependant, mais parce que j'avais découvert un jour des allumettes dans les poches de son pantalon au moment de le passer à la machine. Et des briquets dans le tiroir de son bureau. Qu'il les ait gardés et cachés m'avait inquiétée. Hayden savait qu'il ne devait pas jouer avec le feu ; je lui avais dit et répété que c'était dangereux. Je l'avais surpris lorsqu'il avait quatre ans, occupé à faire brûler une pochette d'allumettes dans la descente de garage, ce qui lui avait valu une de ses rares fessées. Moi qui avais toujours fumé depuis l'âge de quinze ans, sauf pendant ma grossesse, j'avais décidé ce jour-là de renoncer pour de bon après avoir vu la façon dont Hayden observait les flammes d'un air concentré.

J'aurais voulu oublier qu'il était aussi le fils de Randy. Que le même sang coulait dans ses veines.

Tous les ouvrages que j'avais lus enceinte, tous ces livres de poche racoleurs inspirés de faits divers réels qui remplissaient un carton dans le bureau de Randy – tous laissaient entendre que les psychotiques étaient génétiquement prédisposés à la violence. Bon nombre de ces malades avaient en outre subi des mauvais traitements dans leur famille, une circonstance atténuante d'ailleurs souvent invoquée lors des procès par les avocats de la défense, qui relataient des histoires horribles de perversions sexuelles ou de châtiments d'une extrême sévérité infligés par des mères autoritaires et des pères alcooliques. Mais, comme le soulignaient toujours les auteurs de tels textes, cette dimension ne faisait que renforcer l'idée d'une déficience physiologique chez les criminels : absence de maîtrise des pulsions, perception de voix perturbantes, fantasmes impossibles à repousser quand la plupart d'entre nous parviennent à refouler les pires visions qui envahissent parfois notre esprit.

Les premiers signes : fascination pour le feu, tendance à faire pipi au lit, actes de cruauté commis sur de petits animaux… Il arrivait encore à Hayden de mouiller ses draps alors que le problème aurait dû cesser de se poser depuis longtemps. Mais bon, à ma connaissance, aucun animal domestique n'avait mystérieusement disparu dans le quartier. Cela dit, comment réagirais-je si c'était le cas ? Serais-je encore capable de regarder mon fils sans voir l'image de la dévastation ?

Les détonations dans le jardin, le regard des voisins, les policiers qui couraient vers nous alors que je serrais Hayden dans mes bras en hurlant… Échos du passé.

VI

1 Nous traînions chez Randy, lui en caleçon et moi seulement vêtue d'un de ses T-shirts, quand je découvris la photo. Nous venions enfin de coucher ensemble. Nos trois rendez-vous précédents s'étaient achevés par quelques caresses et baisers enfiévrés, mais ce soir-là j'avais bu pas mal de vin et attendre plus longtemps m'avait paru injuste pour tous les deux. Nous avions fait l'amour gauchement, comme c'est souvent le cas la première fois, sans nous regarder, visage contre épaule, et pourtant j'y avais pris plaisir car il m'avait semblé que nous étions proches, très proches même. Randy m'avait assuré que ce serait mieux par la suite et j'avais affirmé qu'il n'avait pas à s'inquiéter – des reparties convenues de part et d'autre, sauf que j'étais vraiment sous le charme, ce qui ne m'était pas arrivé depuis un bon moment, et que lui aussi semblait m'apprécier. Nous nous étions d'ailleurs promis que ce ne serait pas seulement l'affaire d'une nuit. L'atmosphère s'était aussitôt détendue entre nous et l'embarras suscité par notre nouvelle intimité avait rapidement cédé la place à une conversation facile, légère, sans que nous ayons besoin de nous forcer, chacun de nous se réjouissant en secret que l'expérience n'ait pas été plus décevante.

Il vivait seul, ce qui était plutôt inhabituel pour un garçon de vingt-trois ans à Corvallis, notre petite ville universitaire si accueillante. Presque tous les jeunes de son âge avaient des colocataires, par goût ou par nécessité. Mes amies et moi estimions que la plupart des hommes n'étaient pas faits pour la solitude ; privés de compagnie, ils avaient tendance à devenir bizarres. Or Randy semblait parfaitement capable de gérer la sienne et même de la mettre à profit pour s'épanouir. Il ne manquait ni d'énergie ni de motivation. Son appartement était bien rangé et décoré avec goût, sans pour autant paraître efféminé ; il l'avait orné d'une cheminée à gaz et de quelques reproductions, des marines impressionnistes et des paysages rustiques. Randy avait quitté la fac en troisième année, non par manque d'intérêt pour les études mais parce qu'on lui avait proposé un stage au siège régional d'une société de produits chimiques à Albany, à une heure du campus. Impressionné par son enthousiasme et sa capacité de travail, son mentor lui avait ensuite proposé un poste fixe à un salaire qu'aucun individu sensé n'aurait pu refuser.

Randy avait indéniablement beaucoup d'atouts.

Lorsque, deux semaines plus tôt, Dana me l'avait montré de l'autre côté du comptoir chez Happy Sam, j'avais tout de suite senti qu'il était différent des dragueurs, branchés et autres poseurs que nous fréquentions habituellement. À cause de sa façon de se tenir, de sa réserve, de la façon dont il parlait à Dana – sans avoir besoin d'élever la voix malgré le vacarme ambiant. Il était vêtu avec élégance mais sans ostentation, et sa chemise Ralph Lauren soulignait les muscles de ses bras et de son torse. Quand Dana l'avait invité à notre table, il n'avait pas proposé d'offrir un verre à tout le monde ; non, il avait juste payé le mien.

Ce jour-là, il revint de la cuisine pour me resservir du vin. Je tenais la photo encadrée que j'avais trouvée sur une petite table basse. « C'est toi, là ? »

Il m'échangea un verre plein contre le cadre tandis qu'un sourire nostalgique se dessinait sur ses lèvres. « Oui, en Alaska, dit-il en s'asseyant à côté de moi sur le canapé. J'y suis allé en deuxième année de fac, pendant les vacances de Noël. C'était un voyage organisé par d'autres gars de mon dortoir et je n'avais pas vraiment les moyens de les accompagner mais je me suis dit : "Et merde, c'est l'occasion ou jamais"… »

Le cliché montrait une silhouette de dos, qui semblait contempler une vue spectaculaire depuis un sommet : une pente boisée sous un ciel crépusculaire déjà piqueté d'étoiles mais encore ourlé par une frange de lumière orangée.

« C'est joli, observai-je. N'empêche, tu aurais dû tourner la tête et sourire. Pour égayer un peu l'atmosphère…

— Pas du tout, répliqua-t-il. Ça aurait gâché l'intensité dramatique du moment : l'homme solitaire face à l'obscurité imminente… Quand le soleil se couche, c'est-à-dire vers midi à cette époque de l'année, la nuit tombe vite. » Il semblait pensif, presque mélancolique ; sans doute pour ajouter à l'intensité dramatique du moment, supposai-je. « Il fait très sombre, là-bas, tout en haut du monde. »

Si je ne tombai pas amoureuse de lui à l'instant précis où il prononçait ces mots, j'éprouvai néanmoins une vive émotion. Peut-être était-ce le résultat d'un calcul délibéré de sa part – la recherche d'un effet dramatique, comme sur la photo elle-même –, et pourtant je ne me sentis pas du tout manipulée. Je me blottis contre lui et, grisée par l'odeur de sa peau, je l'embrassai dans le cou. Peu après, nous retournions au lit et cette fois-ci ce fut beaucoup mieux. Ce serait d'ailleurs de mieux en mieux pendant longtemps – jusqu'à notre mariage.

2   Imaginez donc la jeune Nina Leigh Sarbaines, originaire de Tapersville, Oregon, une petite ville ouvrière dans l'est de l'État où résonne le grondement incessant des poids lourds qui empruntent la voie express toute proche, où le brouillard fait peser en permanence une chape de grisaille. Imaginez que vous ayez passé toute votre jeunesse dans un paysage mêlant les tons vert mousse et gris ardoise, sur lequel flotte continuellement l'odeur caractéristique des usines de papier que les autochtones ne remarquent plus qu'au retour d'une absence prolongée. Adolescente, j'arborais un triple piercing aux oreilles et un tatouage de papillon sur la cheville. J'avais découvert la cigarette à quinze ans, le sexe à seize, j'étais obsédée par les célébrités et prête à dépenser dans des magazines, des vêtements et des accessoires tout l'argent gagné en travaillant quelques heures par semaine au drugstore. Contrairement à d'autres jeunes, j'avais réussi à éviter la drogue et son cortège de problèmes ; portée par des rêves dorés, je ne voulais pas mettre en péril mes chances de réussir un jour ma vie ailleurs.

Papa était directeur régional d'une société de transport, aussi faisais-je figure de privilégiée auprès de certaines de mes copines dont les parents trimaient à l'usine ou dans les forêts. Notre maison me semblait cependant beaucoup trop petite, surtout quand ma mère se retranchait dans son mutisme après avoir encore découvert une infidélité de mon père et qu'un silence chargé de reproches s'instaurait entre eux durant des semaines. Je m'enfermais alors dans ma chambre, où je passais des heures au téléphone, à regarder mon petit téléviseur ou encore à écouter au casque tous mes albums grunge les plus violents. Maman ne se résolut jamais à le quitter ; mon père mourut d'un dysfonctionnement du foie l'année de ma terminale, alors qu'il n'avait jamais abusé de l'alcool ou négligé sa santé. Je ne garde pratiquement que des bons souvenirs de lui ; il me choyait comme un trésor et me gâtait dans la mesure de ses moyens. Il m'acheta même ma première voiture, une vieille Coccinelle. C'est une des raisons qui, à mon avis, expliquait son succès auprès des femmes : quand vous étiez avec lui, il n'en avait que pour vous.

Je rendais maman responsable des trahisons de papa. De mon point de vue, elle n'avait qu'à demander le divorce ; si elle souffrait, c'était sa faute.

Dans ce contexte, ma lettre d'acceptation à l'université d'État m'apparut comme un passeport pour la liberté.

Au moment de ma rencontre avec Randy, il y avait six mois que s'était achevée ma première relation « adulte » – qui, en fait, n'avait pas particulièrement brillé par sa maturité. Brad, qui préparait une maîtrise de littérature anglaise, était le genre intello typique, grand et maigre, affublé de petites lunettes à monture métallique, aussi timide en société qu'exubérant dans l'intimité. Plus tard, j'en viendrais à me dire que si j'avais immédiatement été attirée par Randy, c'était entre autres à cause de son physique à l'opposé de celui de mon ex. Quand j'avais fait la connaissance de Brad, j'étais encore imprégnée de la culture grunge-rock qui avait marqué mes années d'adolescence, et son côté ténébreux tourmenté m'avait conquise tout de suite. Des amis communs nous avaient présentés lorsque j'étais en première année de fac. Avaient suivi neuf mois de passion houleuse, de romantisme exacerbé porté à un degré presque malsain. Nous ne sortions pas beaucoup, je négligeais mes copains et je m'en fichais ; pour nous, le monde se réduisait à notre couple. Nous éprouvions des sentiments si forts, et pour moi si nouveaux... J'avais bien eu quelques flirts au lycée mais mes ardeurs avaient toujours été tempérées par la conscience aiguë des contraintes familiales et sociales et par la certitude inavouée que je quitterais Tapersville dès que j'en aurais les moyens financiers. Avec Brad au contraire c'était la révélation ; nous nous étions trouvés, me semblait-il, et le sexe entre nous était tellement éblouissant que je restais ensuite des heures dans une sorte de bienheureuse torpeur.

Mais peu à peu, des tensions étaient apparues, les petites déceptions s'étaient accumulées et avaient donné lieu à des scènes virulentes, des attaques verbales mesquines et de grandes réconciliations aussi sentimentales qu'éthyliques. Coups de téléphone tardifs et aveux larmoyants. Les deux filles qui partageaient mon appartement m'avaient conseillé de le laisser tomber sans autre forme de procès. De fil en aiguille, j'avais fini par me convaincre que ce ne serait plus jamais pareil, que les premiers mois étourdissants étaient définitivement derrière nous et que, du moins chez moi, la flamme ne pourrait être ranimée. Brad était encore un adolescent, un romantique trop exalté. Et au train où allaient les choses, nous risquions bien de nous faire beaucoup de mal.

Il m'avait néanmoins fallu encore deux mois pour rompre, ponctués par plusieurs tentatives de rapprochement, de plus en plus tièdes de ma part et de plus en plus désespérées de la sienne. Peu après mon arrivée à Cary, j'avais cherché à retrouver sa trace sur Internet parce que je craignais à cette époque de perdre tous mes repères. Brad s'est marié, il a deux enfants et il est professeur dans un lycée du Nebraska. Je lui souhaite d'être heureux ; j'espère qu'il pense encore à moi de temps en temps, avec ce même pincement au cœur que je ressens. Pas vraiment de la nostalgie, plutôt une sorte de tendresse teintée de mélancolie.

J'en étais donc là, à une année seulement de l'obtention d'une licence en marketing et sans véritable idée de ce que j'allais faire après. J'étais alors assez instable et portée aux soirées de beuveries avec des étudiants ou d'autres, peu m'importait. Après coup, elles me laissaient toujours un goût amer dans la bouche, un étrange sentiment de vide aussi.

Puis Randy Mosley déboula dans ma vie, et ce ne fut d'abord qu'un échange de regards, de baisers maladroits et de numéros de téléphone, mais il s'obstinait à m'appeler et au bout du compte j'acceptai de sortir avec lui. Il se révéla plein de ressources, autoritaire, sûr de lui et apparemment incollable sur toutes sortes de sujets. Lors de notre troisième rendez-vous, il m'apporta un dessin au crayon qu'il avait fait de moi – juste mon visage, avec quelque chose d'inachevé, un manque d'expression dans le regard que j'attribuai à une absence de talent artistique tout en étant touchée par ses efforts et cet aspect de lui que je ne soupçonnais pas. Il me surprit peut-être encore plus par sa réaction lorsque, deux mois seulement après le début de notre relation, je forçai un peu trop sur l'alcool un soir et me laissai aller aux confidences. Jusque-là, j'avais agi comme si ma liaison avec Brad tenait plus d'une passade que d'une véritable histoire d'amour, mais alors que la seconde bouteille de vin était bien entamée, je libérai tout ce que j'avais sur le cœur. Randy ne parut ni contrarié ni fâché. Au lieu de quoi, il me dit toutes les horreurs sur Brad que j'avais besoin d'entendre. À aucun moment il ne me demanda pourquoi j'avais jeté mon dévolu sur un tel loser ; au contraire, il s'abstint de porter le moindre jugement et continua à me traiter comme il l'avait fait jusque-là. Peu après, je dormais chez lui, j'empruntais ses vêtements et je le laissais presque tout payer.

Une fois ouvertes les digues de la saga Brad, je me retrouvai à lui avouer toutes sortes de choses que je n'avais jamais dites à personne. Nous louâmes un chalet à la montagne un week-end et, alors que nous étions couchés nus sur le matelas moelleux, je lui parlai d'une de mes amies morte à l'époque où nous étions au lycée. « Je me rappelle encore le moment où maman m'a annoncé que Jessica était partie, lui racontai-je. Elle ne l'appelait jamais Jessica mais "la fille de Kay Flythe"… Ce jour-là, elle m'a lancé : "Mme Stancil vient de téléphoner pour dire que la fille de Kay Flythe a été tuée dans un accident sur Old Bridge Road. Tu la connaissais bien, hein, ma chérie ?" Comme si elle n'avait pas rencontré Jessica au moins dix fois… » Randy me caressa les cheveux sans m'interrompre une seule fois au cours de mon récit.

Lui-même ne me parlait pas beaucoup de son passé, se bornant à relater de temps en temps quelques anecdotes qui auraient pu tout aussi bien être tirées des souvenirs de n'importe quel adolescent : son meilleur copain qui l'avait trahi pour une fille ; les railleries des autres élèves parce qu'il avait de bonnes notes et la solitude dont il avait souffert ; la disparition d'un chien bien-aimé, découvert mort un peu plus tard, victime d'un voisin sadique. D'après ce qu'il me laissa entendre, il avait également été abandonné tout jeune et placé dans diverses familles d'accueil, dont certaines l'avaient maltraité. Grâce à un détail par-ci, un autre par-là – les Noël où il ne recevait que deux ou trois jouets de seconde main, le jour où il avait dû faire un exposé devant toute sa classe alors qu'il avait toujours l'œil enflé après une gifle particulièrement brutale assenée par sa mère adoptive –, il me fit comprendre qu'il n'avait pas eu une jeunesse facile, aussi m'abstenais-je de lui poser des questions. J'étais étonnée qu'il s'en soit si bien sorti.

Jessica Flythe… Ce fut la première fois que je pris conscience de notre condition mortelle, de la vitesse à laquelle tout peut basculer. C'était à la fois trop réel et en même temps totalement irréel ; je ne pouvais pas croire que je ne reverrais plus cette fille, qu'elle ne vieillirait pas, qu'elle n'aurait jamais à s'inquiéter de savoir si elle était acceptée à la fac. Qu'elle avait cessé d'exister.

Mon père m'avait trouvée en larmes dans le garage le lendemain de l'enterrement de Jessica. Il s'était assis et m'avait maladroitement tapoté le dos pendant que je sanglotais. Au lieu de m'infliger de banales paroles de réconfort, il m'avait demandé une cigarette en me disant qu'il n'en parlerait pas à maman si je n'en parlais pas non plus.

3 Victor Haddock était responsable de dortoir, à savoir un de ces étudiants seniors chargés d'aider les nouveaux à prendre leurs marques quand ils entrent à la fac. Il avait lui-même vingt ans quand un certain Randy Mosley, dix-sept ans, s'était installé à Freedom Hall, sur le campus de l'université de l'Oregon. Randy avait obtenu une bourse après le décès de ses derniers parents adoptifs, morts dans l'incendie de leur maison l'année précédente.

De l'avis général, Victor était un mentor aussi sympathique que compétent, tout prêt à conseiller ses camarades plus jeunes désarçonnés par les pressions de la vie universitaire. Adepte des activités de plein air, en particulier le kayak et la randonnée, il passait souvent ses vacances dans des endroits comme les gorges de la Snake River ou les Badlands de l'Utah. Un an avant sa rencontre avec Randy, il était parti un mois sillonner l'Arctic National Wildlife Refuge, en Alaska.

L'un des premiers journalistes à m'avoir interviewée après l'arrestation de Randy, durant cette première semaine où je vivais encore à El Ray, avant que ma mère ne m'isole à Tapersville, avait à peu près mon âge. Gentil, respectueux, il m'avait posé des questions poliment au lieu de me les jeter à la figure. Alors je l'avais fait entrer et je lui avais parlé ouvertement pendant environ une heure avant que maman ne revienne de l'épicerie et ne le chasse. Je l'avais laissé emporter un album contenant des photos de famille. Il n'y en avait pas beaucoup, m'étais-je dit, et de toute façon je ne les voulais plus. J'avalais pas mal de sédatifs à cette époque.

Le cliché de Randy s'y trouvait et apparemment il avait eu le même effet sur l'équipe du journal que sur moi quelques années plus tôt. La rédaction avait décidé de le publier pour illustrer un article sur le passé de Randy et par la suite une filiale de CNN l'avait repris et diffusé au niveau national.

Lorsqu'ils l'avaient vu, les parents de Victor avaient immédiatement alerté la police. Ils avaient déclaré qu'ils possédaient un double de cette photo et que la silhouette représentée dessus n'était pas celle de Randy. Victor avait disparu pendant l'été de cette même année où Randy s'était installé dans son dortoir. Il devait prendre l'avion pour rejoindre des amis à Denver mais il ne s'était jamais présenté chez eux. Randy avait encore des cours à cette époque. Prévenues par les parents de Victor, les autorités locales s'étaient activées; durant plusieurs semaines, des copies de la photo de sa carte d'étudiant avaient été placardées un peu partout sur le campus, accompagnées par les mots AVIS DE RECHERCHE et un numéro de téléphone à composer au cas où quelqu'un aurait des informations à son sujet. Puis l'automne était arrivé, apportant son lot de nouveaux étudiants, et les policiers avaient rapidement dû se consacrer à d'autres priorités comme les chauffards ivres, les tentatives de viol et les innombrables écarts de conduite commis par des jeunes livrés à eux-mêmes pour la première fois. Les Haddock, eux, n'avaient pas abandonné. Le corps de Victor demeura cependant introuvable.

À ce jour, personne ne sait ce qu'il est devenu. Randy n'en parla jamais pendant les interrogatoires menés par la police avant et après son procès.

Il fait très sombre là-bas, tout en haut du monde… Où Randy n'était allé qu'en rêve.

VII

1 La plupart du temps je ne répondais pas au téléphone. Je laissais le répondeur se déclencher, j'écoutais les messages puis je les effaçais. C'était à la fois triste et drôle, dans la mesure où je sursautais chaque fois que la sonnerie déchirait le silence, avant de me précipiter sur l'écran du combiné en espérant voir apparaître un numéro familier. Or, depuis quelques années, c'était presque toujours le mot INCONNU qui s'affichait ; autrement dit, l'appel provenait d'opérateurs de télémarketing ou d'instituts de sondage. Il m'arrivait néanmoins de décrocher, juste pour échanger quelques mots avec une voix adulte, même si je n'avais aucune intention de répondre à un questionnaire ou d'acheter quoi que ce soit. Mais ces gens-là, qui n'ont aucun scrupule à vous faire perdre votre temps, deviennent vite agressifs lorsqu'ils se rendent compte que vous leur faites perdre le leur.

À présent, les messages affluaient. Les journalistes de la télévision comme ceux de la presse écrite voulaient tous ma version des faits. J'aurais pu la résumer en trois mots, genre « Je vous emmerde », sauf qu'une telle attitude ne servirait pas ma cause, je le savais. Jim m'appela du bureau à deux reprises, « juste pour prendre des nouvelles et vous dire que vous n'êtes pas obligée d'affronter seule cette épreuve ». Ses coups de fil ne réussirent qu'à accentuer mon sentiment de vulnérabilité et à me mettre en colère : après tout, qu'avait-il à m'offrir ? Une oreille compatissante et une partie de jambes en l'air ? Comme s'il pouvait avoir la moindre idée de ce que je ressentais... À peine cette pensée m'avait-elle traversé l'esprit que je me souvins de ce qu'il avait lui-même enduré, entre son divorce et la maladie de son fils, et je me reprochai aussitôt ma mesquinerie. Pour autant, je ne le rappelai pas.

Et puis, ce jeudi matin :

« Allô ? Madame Wren ? Bonjour, Carolyn Rowe à l'appareil. Mon mari Duane et moi sommes détectives privés, et je dois malheureusement vous avouer que si M. Pritchett vous a retrouvée, c'est à cause de nous. Nous avons été engagés par l'agence à laquelle il s'est adressé en Californie, sans que personne à l'époque ne juge utile de spécifier les raisons de cette recherche. Alors je vous appelle aujourd'hui pour vous présenter nos excuses les plus sincères. Croyez-moi, nous n'avons jamais été confrontés à une situation pareille et nous déplorons que vous en subissiez les conséquences. Je comprends parfaitement que vous n'ayez aucune envie de nous parler, mais nous détenons sur M. Pritchett certaines informations que nous souhaiterions vous communiquer au cas où vous voudriez le convaincre de cesser son harcèlement. Encore une fois, permettez-moi de vous dire que nous sommes désolés de ce qui vous est arrivé et… eh bien, je n'ai rien à ajouter. Je vous donne notre numéro… » Je reconnus l'indicatif de Clayton, une banlieue-dortoir à l'est de Raleigh.

À vrai dire, j'étais curieuse de savoir comment Charles Pritchett s'était débrouillé pour me localiser. Durant son interview, il avait mentionné une agence de Los Angeles et sur le moment j'avais imaginé des hommes en costume sombre et lunettes noires, armés de talkies-walkies et de gadgets ultrasophistiqués. Mais bien sûr, c'était ridicule. Après tout, à part mon changement d'identité et mon déménagement, je n'avais pas pris de précautions extraordinaires pour brouiller les pistes ; je voulais avant tout échapper à Randy, dont je pensais les moyens d'action limités. Je me rendais compte désormais qu'il suffisait de passer une demi-heure à naviguer sur les bons sites Internet pour remonter jusqu'à moi.

En attendant, le message laissé par cette Carolyn Rowe pouvait très bien être un leurre, une ruse échafaudée par des personnes malintentionnées.

À la rubrique Détectives privés, dans l'annuaire, je découvris effectivement leur raison sociale, ROWE INVESTIGATIONS, ainsi que leur numéro. J'en conçus un certain soulagement mais je ne voyais toujours pas l'intérêt de prendre contact avec eux. Pritchett allait bien finir par se lasser à un moment ou à un autre, non ? Je n'avais plus qu'à courber la tête le temps que l'orage se calme, me semblait-il.

Si je ne devenais pas folle d'ici là.

Puis Hayden rentra de l'école et mon point de vue changea de nouveau. S'il ne pleurait pas, son petit visage tout chiffonné me laissa toutefois supposer que les larmes étaient proches. Je le serrai dans mes bras en soupirant. « Qu'est-ce qu'il y a, mon chéri ? Je croyais que tu devais aller chez Caleb…

— Sa maman veut pas, répondit-il en levant vers moi un regard empli d'incompréhension – la plus poignante des blessures. Elle dit qu'on peut plus être copains. »

La consternation en moi céda bientôt à une colère sourde. Je passai les quelques heures suivantes à essayer en vain de lui remonter le moral. Le soir venu, je songeai à appeler Gabby McPherson pour lui dire ce que je pensais de son gosse, de sa baraque, de son mari et de ses goûts en matière de décoration intérieure. Au lieu de quoi, je décrochai le téléphone et composai le numéro que Carolyn Rowe avait laissé sur mon répondeur.

2   Nous avions rendez-vous le samedi après-midi au parc Pullen, à Raleigh, un vaste espace de loisirs où l'on trouvait des aires de jeu, des étangs et un manège. Comme il faisait très beau ce jour-là, pas mal de gens avaient décidé d'en profiter pour sortir. Je repérai néanmoins une table libre, ombragée par un parasol, près des toboggans et des balançoires, ce qui me permettait de garder un œil sur Hayden. Peu après leur arrivée, les Rowe précisèrent qu'ils n'avaient pas d'enfants, sans doute pour justifier leur nervosité chaque fois que des cris ou des rires surexcités s'élevaient près de nous. Duane Rowe me dit sur le ton de la plaisanterie que cela lui rappelait ses débuts dans la police, quand on l'appelait pour calmer les surprises-parties un peu trop bruyantes.

Petit, trapu, il avait une stature de lutteur. Il était coiffé d'une casquette de base-ball qu'il ôta juste le temps de me serrer la main, me laissant entrevoir une courte chevelure grise prématurément clairsemée. Sa tenue, une veste de velours côtelé sur un jean délavé, achevait de lui donner l'air décontracté tout en le faisant ressembler à la moitié des quinquagénaires du parc. Sa femme était une belle blonde décolorée à la silhouette mince et athlétique, même si les petites rides autour de ses yeux laissaient supposer qu'elle était plus âgée qu'elle n'essayait de le paraître. Je l'imaginais sans peine capable de séduire aussi bien des hommes de trente ans que de cinquante – un tour de force pour la plupart d'entre nous. Elle arborait un de ces jeans taille basse en vogue chez les adolescentes, sans paraître ridicule pour autant. Je vis d'ailleurs plusieurs pères de famille occupés à surveiller leur progéniture tourner ostensiblement la tête vers nous à plusieurs reprises. Duane, lui, ne semblait rien remarquer.

Carolyn était également une de ces natives du Sud naturellement portées à l'exubérance ; au lieu de me serrer la main, elle m'étreignit brièvement. « Je ne sais pas comment vous dire à quel point nous sommes désolés, lança-t-elle d'un trait, les yeux brillants comme si elle allait fondre en larmes devant tout le monde. Vous auriez le droit de nous insulter, de nous gifler même…

— Ce n'est pas nécessaire », répliquai-je. Au moment où ils s'asseyaient, je jetai un bref coup d'œil à Hayden. Il jouait près d'une balançoire en compagnie d'autres enfants qui riaient et bavardaient avec animation. Manifestement, ils ignoraient qui nous étions.

« J'aime beaucoup votre nouvelle coiffure, déclara Duane.

— Merci. » La veille, pendant que Hayden était à l'école, j'avais pris rendez-vous chez le coiffeur pour me faire couper et foncer les cheveux. Je portais également de grosses lunettes de soleil afin de ne pas attirer les regards. « Et donc… »

Carolyn, installée à côté de moi, sortit un classeur d'une grosse besace en cuir brun. « Je vais d'abord vous en dire un peu plus sur nous, si vous le voulez bien. Duane a travaillé dans la police de Baltimore pendant six ans, puis dans une ville appelée Reston, en Virginie, pendant huit ans. Moi, j'étais journaliste pour le quotidien local, et c'est comme ça que nous nous sommes rencontrés. Quand il a démissionné, on est venus à Raleigh parce que j'y suis née et que ma mère était malade à l'époque. Elle va mieux aujourd'hui, mais on a décidé de rester et de monter notre agence. On s'occupe surtout de cas de divorce, de fraudes à l'assurance, d'affaires de ce genre...

— Vous traquez les gens, quoi », ajoutai-je.

Duane sourit sans répondre.

« C'est vrai, admit Carolyn. Ce métier est bien différent de ce qu'on voit dans les films, mais j'ai l'impression que vous l'avez déjà compris. Bref, en ce qui vous concerne, on a reçu un appel d'une agence de la côte ouest il y a environ cinq mois...

— Oui, vous l'avez mentionné dans votre message.

— Je crois que Mme Wren apprécierait que tu ailles droit au but, ma chérie, observa Duane.

— Non, ne vous en faites pas, dis-je. C'est juste que la situation me paraît encore un peu irréelle.

— Quoi qu'il en soit, Duane et moi, on commence en général par effectuer des recherches en amont afin de pouvoir éliminer les clients qui nous demanderaient de retrouver la trace de quelqu'un pour de mauvaises raisons. Il n'est pas question pour nous de participer à une quelconque tentative de harcèlement. On refuse même d'enquêter pour les compagnies d'assurances qui n'ont pas bonne réputation.

— Ce qui n'en laisse pas beaucoup... », précisa Duane.

Carolyn le gratifia d'une tape sur le bras. « J'essaie de lui donner les informations dont elle a besoin. » Elle me regarda. « Ce n'est pas lui qui vient de me demander d'accélérer un peu les choses ? »

Je hochai la tête, amusée malgré moi.

« Tu vois ? lança-t-elle à son mari. Maintenant, laisse-moi finir. Bon. Quand Duane travaillait encore à Reston, il avait un collègue là-bas qui s'est installé depuis à l'ouest. Ce gars est employé par l'agence dont je vous ai parlé – une société beaucoup plus importante que la nôtre, avec une vingtaine d'enquêteurs, un gros budget, etc. Un jour, il a téléphoné à Duane pour lui raconter que vous étiez l'objet d'une procédure civile et que vous aviez changé d'identité afin d'éviter une citation à comparaître. Il connaissait déjà votre nouveau nom et tout, y compris votre adresse. Il nous a juste demandé de confirmer que c'était bien vous, de rassembler des renseignements sur vos habitudes et de lui envoyer un rapport. On a d'abord effectué quelques recherches sur Internet pour savoir qui vous étiez, et je peux vous dire qu'à ce stade je me posais déjà des questions mais voilà, entre-temps on avait accepté l'affaire. Et puis, j'ai pensé que vous aviez peut-être fait une bêtise depuis l'arrestation de votre mari. Ensuite, M. Pritchett s'est présenté, on lui a donné nos informations et je suppose qu'il s'en est servi pour vous retrouver. Si j'ai bien compris, il vous a abordée au supermarché ?

— Comment l'avez-vous appris ? demandai-je.

— Oh, on a eu une petite discussion avec M. Pritchett, m'expliqua Duane. On l'a appelé pour lui signifier clairement ce qu'on pensait de sa campagne de diffamation. Dans l'intervalle, l'agence de mon ami nous avait déjà envoyé notre chèque et M. Pritchett nous a répondu qu'il n'avait plus besoin de nos services. Là-dessus, il m'a raccroché au nez.

— Je suis comme vous, j'adore faire mes courses tard le soir », me confia Carolyn, qui se pencha vers moi en posant une main sur mon épaule. Je dus résister à l'envie de me dégager.

« Bref, je suis désolée qu'il vous ait importunée. Ça n'aurait jamais dû se passer comme ça. Croyez-moi, Duane n'a pas pris de gants avec son copain de Los Angeles !

— Mouais, cette histoire a mis un terme à deux ou trois associations lucratives », observa-t-il d'un air malheureux.

J'aurais voulu les trouver sympathiques. Mais lorsqu'il prononça ces mots, je répliquai d'un ton cinglant : « L'autre soir, j'ai été obligée d'avouer à mon fils toute la vérité sur son père. Je lui avais toujours dit que c'était un voleur. Et qu'il était mort. »

Les Rowe gardèrent le silence durant quelques instants puis, d'un même mouvement, nous tournâmes tous la tête vers les balançoires. Cheveux au vent, Hayden montait haut vers le ciel et ramenait les jambes sous son siège chaque fois qu'il redescendait afin de prendre le plus d'élan possible. L'air avait fraîchi et de petits nuages de vapeur blanche se formaient devant la bouche des enfants toujours en train de s'amuser.

« Il est vraiment trop mignon », dit Carolyn Rowe d'un ton léger. Pourtant, lorsqu'elle reporta son attention sur moi, ses lèvres étaient pincées et son regard glacial. « Depuis qu'on s'est rendu compte de notre erreur, Duane et moi, on s'est intéressés de plus près au cas de M. Pritchett. Et on pense disposer d'arguments solides pour le persuader de vous laisser tranquille.

— Avant toute chose, intervint Duane, il faut que vous acceptiez de vous exprimer dans la presse. Si vous ne donnez pas votre version des faits, les gens vont supposer que tout ce qu'on raconte sur vous est exact. C'est Jennifer McLean qui a couvert l'affaire au niveau local et comme c'est aussi la seule à avoir obtenu une interview de Pritchett, il me semble qu'on devrait essayer de la convaincre de vous interviewer également. Quand vous aurez eu l'occasion d'expliquer que vous êtes une victime au même titre que Pritchett, l'opinion publique vous sera sans doute plus favorable.

— Une minute, l'interrompis-je. D'abord, j'aimerais comprendre comment votre ami de Los Angeles a fait pour me retrouver. Vous avez une idée ? »

Carolyn poussa un profond soupir et Duane hocha la tête. « Votre mère est bien morte l'année dernière, n'est-ce pas ? »

Bon sang. J'aurais dû m'en douter. « Pendant l'hiver, oui. Elle ne m'avait jamais dit à quel point elle était malade, juste qu'elle souffrait de complications liées à son âge. En réalité, elle avait un cancer de l'estomac. Elle a laissé un mot pour dire qu'elle ne voulait pas de cérémonie funéraire parce qu'elle craignait que je n'attire l'attention en venant.

— Ça partait d'une bonne intention, intervint Duane gentiment. Sauf qu'elle a inscrit dans son testament à la fois votre vrai nom et votre nouvelle identité. »

À l'époque, je m'étais absentée deux semaines. J'avais trié les affaires de maman puis engagé une équipe de bénévoles pour porter les cartons à des associations caritatives. Durant tout ce temps, j'avais évité mes vieux amis, ne sortant de la maison qu'en de rares occasions. Hayden parcourait les pièces vides en ouvrant de grands yeux ; sensible à mon détachement, il s'efforçait de ne pas me déranger, se bornant à jouer avec sa console électronique. Quand il m'avait demandé qui étaient les personnes en photo sur les murs, j'avais répondu en décrochant les cadres que je ne me rappelais plus très bien. J'avais ensuite vendu la maison à la banque pour une bouchée de pain, ne gardant que trois boîtes remplies de souvenirs, de papiers importants et de photographies, ainsi que le classeur où maman conservait tous les articles découpés dans les journaux. Je n'avais pas beaucoup pensé à elle durant mon séjour, préférant consacrer toute mon énergie mentale à maudire Randy, encore et encore.

Reportant mon attention sur les Rowe, je déclarai : «J'aurais dû m'en douter. Au fond, je croyais qu'on finirait par m'oublier… Mais c'était compter sans ma mère.»

VIII

Au début, la nouvelle ne parut pas ravir maman. « Tu m'as entendue ? lui demandai-je. Tu vas être grand-mère.

— Oui, oui. Je suis très contente pour vous deux. » Son intonation distraite était nettement perceptible, même au téléphone. « Félicite Randy de ma part, d'accord ? Mais je croyais que vous vouliez attendre quelques années. Tu en as parlé à tes collègues ?

— Maman ! Je n'en suis sûre que depuis ce matin… » Je me tenais dans la cuisine de notre nouveau logement, une maison de style colonial d'environ cent cinquante mètres carrés avec sous-sol et garage pour deux voitures ; hormis le fait qu'elle était la dernière d'un cul-de-sac (ce qui rajoutait bien vingt mille dollars au prix de vente), elle ressemblait beaucoup à toutes les résidences de ce quartier situé à dix minutes seulement de celui où nous avions vécu deux ans, dans ce que nous appelions désormais notre « premier achat ». En plus de ses vastes proportions, elle se distinguait par ses plafonds voûtés et un escalier d'une modernité austère qui reliait le vestibule à la cave et à l'étage. La cuisine spacieuse se doublait d'un office grand comme une chambre à coucher. Randy et moi nous étions lassés de notre ancien pavillon, où nous nous sentions trop à l'étroit. À peine promu au poste de directeur régional, Randy avait décrété qu'il souhaitait franchir une étape. Je m'étais dit à l'époque qu'il devait souffrir d'une sorte de décalage. Tous ses nouveaux collègues étaient pères de famille, contrairement à la plupart des membres de son équipe précédente – des jeunes frimeurs fraîchement émoulus d'écoles de commerce. J'espérais néanmoins en secret qu'il ne res-

83

sentait pas trop de pression de ce côté-là ; j'aurais voulu en profiter encore un moment avant d'élargir la famille Mosley.

Mais je ne me sentais pas très bien depuis deux semaines et, au plus profond de moi, je connaissais la raison de mon état. Pour le moment, je ne savais pas trop quoi en penser ; j'étais encore sous le choc de la confirmation apportée par le médecin le matin même, ainsi que de son cortège de conséquences : les inévitables bouleversements de notre existence, les restrictions financières que nous serions obligés de nous imposer, les aménagements à prévoir pour le bébé, etc. Mon cerveau menaçait d'imploser.

Et, comme d'habitude, maman ne m'était pas d'un grand secours.

« Écoute, ma chérie, je ne veux surtout pas paraître indifférente, reprit-elle. Franchement, c'est merveilleux. Comme je te l'ai dit, j'attendais ça avec impatience depuis votre mariage. C'est toi qui répétais toujours que tu adorais ton travail et que tu voulais prendre le temps de faire certaines choses avant d'avoir un enfant… Du coup, je me suis mise à tenir le même raisonnement. »

Jusque-là, en effet, je ne m'étais pas privée d'exprimer mon opinion sur le sujet. Je n'hésitais jamais à répondre à Randy ou à quiconque me posait la question : « Non, pas tout de suite. » Ce à quoi Randy rétorquait toujours : « Avant quarante ans, quand même ? » J'ignorais le sarcasme. Jusqu'à présent, la quarantaine m'apparaissait comme une notion abstraite. Mais aujourd'hui, je me rendais compte que je l'atteindrais au moment où mon enfant serait en âge de passer son permis. Cette idée me donnait le vertige.

Maman continuait de pérorer, décrivant maintenant en détail les maux dont elle avait souffert quand elle était enceinte de moi : pieds enflés, mal de dos, nausées et soudaines crises de larmes… « On dit toujours qu'une fille reproduit le même genre de grossesse que sa mère, alors crois-moi, je n'aimerais pas être à ta place durant les huit prochains mois… »

Depuis la mort de papa, elle était sortie de sa coquille – pour employer un euphémisme. Elle s'épanouissait littéralement dans son nouveau rôle de pilier de la communauté à Tapersville, qui l'amenait entre autres à travailler comme bénévole au centre social, à enseigner le catéchisme et à rédiger des articles pour le *Tapers-*

ville Dispatch. À vrai dire, je ne la jugeais « épanouie » que dans les rares moments où elle ne me portait pas sur les nerfs ; le reste du temps, je la trouvais surtout fatigante. Elle m'appelait plusieurs fois par semaine et ne se privait jamais de critiquer notre mode de vie, ce qui ne laissait pas de me dérouter dans la mesure où, me semblait-il, nous incarnions le rêve américain poussé à une telle perfection que c'en était presque étouffant. En cet instant, j'avais l'impression de sentir le poids de tous les sarcasmes qu'elle m'avait infligés depuis la puberté. *Tu prends tout mal à cause de tes hormones,* pensai-je pour essayer de l'excuser. *Elle t'en a toujours voulu parce qu'elle te savait la préférée de papa.*

J'étais enceinte, elle subissait les effets de la ménopause. Aucun doute, nous nous préparions de bons moments.

« Je viendrai passer deux ou trois mois chez vous après l'accouchement », déclara-t-elle. J'eus la vision de ma mère déambulant dans la maison où j'avais grandi, le combiné coincé entre le menton et l'épaule, arrosant les plantes d'une main pendant qu'elle pianotait sur son clavier d'ordinateur de l'autre. J'entendais d'ailleurs en arrière-fond un bruit qui évoquait le cliquetis des touches. « Randy va devoir me supporter. De toute façon, au bout de quelques jours, il sera sûrement bien content de pouvoir compter sur moi. Tu paries ?

— J'en suis sûre, maman. »

Randy se montrait toujours courtois en présence de maman mais, lorsqu'elle n'était pas là, il ne faisait aucun effort pour dissimuler l'antipathie qu'elle lui inspirait. S'il réagissait ainsi, affirmait-il, c'était à cause de son attitude envers moi, parce qu'il savait à quel point elle me rendait consciente de mes défauts, réels ou imaginaires. En vérité, tous deux avaient des caractères diamétralement opposés. Maman était trop agitée, trop dispersée pour Randy, lui-même un modèle de concentration. J'avais bien tenté de jouer les médiateurs au début, avant de me rendre compte qu'ils n'avaient pas besoin de moi. Désormais, je me contentais de les observer.

Je me levai du tabouret sur lequel j'étais assise puis arpentai la cuisine pendant que maman continuait à monologuer. Randy avait fixé une étagère à épices sur la porte de l'office. Je déplaçai machinalement les petits pots de cannelle, de persil et d'estragon de façon à mettre en évidence les étiquettes. Je ne me servais jamais de ces aromates ; la plupart du temps, nous mangions des plats tout préparés, ce qui ne me gênait pas le moins du monde. Soudain consciente de mon geste, je retournai le pot de paprika. *Non, je ne suis pas une maniaque de l'ordre.*

« Tu comptes travailler jusqu'à ton terme ? demanda maman. Je veux dire, je commençais tout juste à te considérer comme carriériste et je sais combien tu aimes tout planifier à l'avance… »

De toute évidence, elle s'était encore plongée dans le dictionnaire ; depuis qu'elle rédigeait sa rubrique genre « Potins de quartier », ma mère avait la manie exaspérante de glisser dans la conversation des termes qu'elle estimait valorisants pour elle, le plus souvent à mauvais escient. Jamais, quand je vivais encore chez mes parents, elle n'aurait employé un mot comme « carriériste ». Bientôt, elle allait me vanter les mérites de la « synergie »… J'envisageai un instant de mentionner papa, le seul moyen de lui river son clou. Mais ce serait un coup bas et je ne voulais pas en arriver là. « On prévoyait d'attendre encore un peu, maman. Malheureusement, la pilule n'est efficace qu'à quatre-vingt-dix-neuf pour cent. Je suis une des exceptions qui confirment la règle, j'imagine. »

Au même moment, la voix de mon mari me parvint de la pièce voisine. « Il était temps, dit-il posément. Il était temps que tu portes notre bébé. »

À l'autre bout de la ligne, ma mère continua sur sa lancée : « Eh bien, peut-être que tu devrais déposer une plainte contre les fabricants. Tous ces laboratoires pharmaceutiques, ils feraient n'importe quoi pour éviter les procès et la mauvaise publicité.

— Oh, bien sûr, une femme mariée qui tombe enceinte, c'est une mauvaise publicité pour eux ! » À cet instant seulement, les paroles de mon mari pénétrèrent dans mon esprit et je tournai la tête vers le salon. Randy s'était installé dans son fauteuil inclinable en cuir – un des petits plaisirs qu'il s'était offerts avec sa dernière prime. Je pensais le découvrir en train de me dévisager, de faire des mimiques pour m'inciter à raccrocher parce qu'il en avait assez de n'entendre qu'une partie de la conversation. Après tout, c'était déjà arrivé. Sauf qu'en l'occurrence, il avait le visage dissimulé derrière son journal – le *Chicago Tribune*, pas le quotidien local. Cette vision me dérouta. Randy était parti en déplacement à Chicago la semaine précédente et j'avais trouvé ce même quotidien dans sa valise alors que je sortais ses affaires pour mettre ses vêtements au sale. Il était question d'un épouvantable carnage sur la page qu'il lisait à présent : UNE FAMILLE DÉCIMÉE À CALUMET CITY, UN SEUL SURVIVANT. Le titre avait accroché mon regard et je frissonnai au souvenir des détails qui m'avaient frappée à la lecture. Un père, une mère et leur fille avaient été tués par un intrus dans leur pavillon de banlieue. Le journaliste évoquait la possibilité d'un « meurtre rituel » en raison de certaines mutilations non décrites infligées aux corps. Le cadet de la famille, un jeune garçon dont l'identité n'était pas révélée car il était mineur, avait survécu en se réfugiant dans la chambre d'amis pendant l'attaque. Il avait été brièvement hospitalisé avant d'être confié à des proches. Inimaginable.

En revoyant la manchette ce jour-là, je me demandai pourquoi mon mari s'intéressait à un journal daté de la semaine précédente et qu'il avait dû acheter à l'aéroport de Chicago.

Des pensées troublantes affleurèrent à la surface de ma conscience puis sombrèrent presque aussitôt dans ses profondeurs obscures.

« Tu as dit à Randy qu'on t'avait offert une promotion ? » demandait maman.

Shaw Associates voulait me nommer à la tête du service marketing, une première pour quelqu'un qui travaillait dans l'entreprise depuis moins de dix ans, et surtout pour une femme. Mais comme j'avais mené à bien deux ou trois projets importants qui avaient rapporté pas mal d'argent, il n'était plus question de discrimination. Non, je n'en avais pas encore parlé à Randy ; on m'avait offert le poste huit jours plus tôt seulement et, à cette date, j'avais déjà pris rendez-vous avec le médecin.

« Tu n'as sans doute pas envie que je suive tes traces, dis-je à ma mère, mais à partir de maintenant je vais devoir prendre en compte d'autres intérêts que les miens.

— Des tas de femmes se débrouillent pour concilier vie professionnelle et vie de famille, répliqua-t-elle. Je trouve que je m'en suis bien sortie avec toi, mais à mon avis j'aurais pu faire tout aussi bien en travaillant.

— Je sais, maman. » À l'idée de l'inévitable sermon à venir, je me sentis soudain épuisée. Accablée de lassitude. Depuis quelque temps, les discours maternels me fatiguaient vite – comme pas mal de choses, par ailleurs. Mes réserves de patience se révélaient de plus en plus limitées, même si rien ne les mettait réellement à rude épreuve. Je m'approchai de la fenêtre pour contempler le jardin. Sans être immense, il dépassait largement celui que nous avions avant, à peine plus grand qu'un timbre-poste. Randy avait déjà acheté une tondeuse à gazon pour l'entretenir. Je laissai mon regard s'attarder sur les deux jeunes chênes qui, dans une dizaine d'années, auraient sans doute une taille imposante ; pour le moment, leur ombre recouvrait à peine la fontaine à oiseaux. Puis mes yeux se portèrent vers le fond de la propriété, bordé par une clôture en bois gris, où se dressait la remise à outils de Randy. Dans le sous-sol inachevé de notre ancienne maison, il disposait d'une pièce qui m'était strictement interdite – sa « garçonnière », disait-il –, où il s'entraînait à soulever des poids, pariait sur Internet ou je ne sais quoi. Je ne l'avais interrogé qu'à deux ou trois reprises au sujet de ses mystérieuses activités solitaires, et quand je l'avais taquiné sur ses réponses évasives, j'avais eu droit en retour à une grande tirade sur la nécessité de se ménager un espace personnel, surtout pour quelqu'un comme lui, qui passait beaucoup de temps avec des gens dont il n'appréciait pas forcément la compagnie mais qu'il était obligé de supporter à cause de son travail. Du coup, je ne lui posais plus de questions, et aujourd'hui il s'était approprié la remise à outils, qu'il se targuait d'avoir converti en petite salle de musculation. Pour ma part, je ne lui enviais pas ce refuge, une simple construction préfabriquée de trois mètres sur trois, et je n'étais pas le moins du monde intéressée par ce qu'il y faisait. D'ailleurs, je le lui avais dit.

Il avait néanmoins installé un cadenas sur la porte.

« Randy et moi, on en a parlé avant notre mariage, rappelai-je à ma mère. Il préfère que je reste à la maison pour m'occuper du bébé. Tu sais, pas mal d'articles aujourd'hui tendent à prouver que papa et toi vous avez fait le bon choix. C'est le meilleur moyen de donner à un enfant toutes les chances de s'épanouir. » Je m'interrompis en me rendant compte que je parlais moi-même comme un magazine. « Et puis, ce n'est que pour quelques années. Je retourne-rai travailler lorsque notre enfant sera en âge d'aller à l'école.

— Sauf si tu en as un autre… »

Alors que j'allais lui signifier sans ambiguïté quel genre de pensées m'inspirait cette éventualité pour le moment, je sentis une présence derrière moi. Je me retournai, pour découvrir Randy appuyé contre le plan de travail, les bras croisés. Il me fit un petit signe moqueur.

« Maman ? Il faut que je te laisse. Randy t'embrasse.

— D'accord. Écoute, je suis vraiment très, très heureuse pour vous. J'ai hâte de gâter mon petit-fils ou ma petite-fille pendant des années et des années. Et vous ne pourrez pas m'en empêcher, ni toi ni Randy. » S'ils m'agaçaient, ses efforts évidents pour se montrer gentille parvinrent néanmoins à m'attendrir. Je lui dis que je l'aimais, puis je raccrochai.

Un grand sourire aux lèvres, Randy écarta les bras. « Viens ici, maman. »

Je n'ignorais pas à quel point c'était important pour lui. Randy avait eu une enfance désastreuse ; d'après les rares souvenirs qu'il m'avait confiés avec réticence, sa mère biologique était une alcoo-lique qui l'avait abandonné tout petit. Jusqu'à seize ans, il avait vécu dans plusieurs foyers adoptifs et pensionnats subventionnés par l'État. Il avait ensuite fait toutes sortes de petits boulots avant de décrocher une bourse d'études. En repensant à l'exaspération susci-tée par ma propre mère quelques instants plus tôt, j'éprouvai de brusques remords. Après tout, elle avait toujours été dévouée à mon égard, et même si ce dévouement se teintait de rancœur envers mon père, jamais elle ne m'avait privée de son soutien.

Alors je laissai Randy me prendre dans ses bras et j'allai même jusqu'à lui rendre son étreinte tout en essayant de me concentrer sur la vie qui grandissait en moi – cet être que nous avions créé tous les deux.

Dehors, des geais se battaient à grands cris furieux dans la fon-taine à oiseaux. Pour une raison inexplicable, je songeai soudain aux Renault, la famille dont l'assassinat avait défrayé la chronique un an plus tôt. L'affaire n'était toujours pas résolue. Est-ce que personne ne s'en souciait ? me demandai-je. Pourquoi l'opinion publique n'avait-elle pas exigé de réponses ? Réclamé un coupable et un châtiment ?

Ces pensées me nouèrent l'estomac. Je venais de comprendre que la nonchalance nous était désormais interdite ; nous ne pourrions plus jamais baisser notre garde ou tenter d'ignorer les menaces bien réelles qui existaient dans le monde.

J'ébouriffai les cheveux de Randy. Il m'entraîna à l'étage dans la fraîcheur du soir, loin des fenêtres et des piaillements venus du jardin.

IX

Jennifer McLean, de Channel 11, se montra aimable et agréable jusqu'au moment où, en plcin milieu de l'interview, elle me saborda. Jusqu'à cet instant précis, j'avais eu l'impression que tout se déroulait bien.

Les Rowe avaient consacré une bonne partie des deux jours précédents à préparer mon entretien : ils m'avaient posé toutes les questions auxquelles ils pensaient que je devrais répondre, modifiant au besoin mes déclarations pour m'éviter de paraître trop guindée ou trop sur la défensive. D'après eux, la meilleure stratégie consistait à répondre publiquement aux allégations formulées contre moi. Dans ce but, ils mirent à ma disposition le jardin d'hiver aménagé à l'arrière de leur ferme située à l'est de Raleigh, à quarante minutes en voiture de chez moi. Je ne voulais pas de caméras dans ma maison. Les journalistes ne campaient pas encore devant la porte, attendant sans doute de voir si mon histoire était de celles qui font décoller les ventes, les scores d'audience ou quelle que soit la façon dont ils mesurent l'impact d'une information, mais avant tout je voulais protéger Hayden. Nous avions donc pris rendez-vous avec Jennifer McLean le lundi après-midi, pendant qu'il était à l'école.

Duane et Carolyn avaient tout organisé alors que je me sentais déjà extrêmement reconnaissante de ce qu'ils avaient fait et même presque effrayée de me découvrir aussi dépendante d'eux. Au moins, je pouvais leur parler de ce qui m'arrivait. Je ne m'étais pas rendu compte jusque-là à quel point j'avais besoin de tout raconter à quelqu'un.

La journaliste et son équipe arrivèrent vers midi et passèrent une heure à installer leur matériel dans le jardin d'hiver, au milieu des pots où s'épanouissaient les palmiers et les cactus en fleur – une tâche compliquée par la présence d'un système sophistiqué d'arrosage et d'éclairage. Carolyn Rowe avait baptisé cette pièce vitrée la « petite Floride ». En d'autres circonstances, j'aurais sans doute été impressionnée par ses talents de jardinière, mais j'étais trop nerveuse pour y prêter attention. Lorsqu'un des techniciens me demanda si je voulais être maquillée, je jetai un coup d'œil interrogateur à Duane Rowe, qui répondit : « Un peu de blush sur les joues, peut-être. La lumière vous fait paraître plus pâle que vous ne l'êtes. » Une façon diplomatique de me signifier que j'avais l'air d'un zombie.

J'entendis alors l'un des membres de l'équipe interroger Jennifer McLean pour savoir si les Rowe étaient mes agents ou mes avocats. « Non, ce sont des détectives privés, répondit-elle d'un air perplexe. Je n'ai toujours pas compris à quel titre au juste ils intervenaient dans cette affaire. »

Moi non plus, à vrai dire.

Quelques minutes plus tard, nous étions toutes les deux assises à la table en verre, face à une caméra. Jennifer McLean commença par un bref récapitulatif des faits – une partie de l'interview qu'elle aurait pu enregistrer par avance, pensai-je, mais sans doute voulait-elle évaluer ma réaction en direct. Les Rowe avaient envisagé cette introduction, aussi fus-je en mesure de conserver une expression parfaitement neutre pendant que la journaliste déclarait : « Randall Roberts Mosley, surnommé par la presse le Mauvais Œil à cause des mutilations qu'il infligeait à ses victimes, a fait régner la terreur dans plusieurs États de l'Ouest pendant plus d'une décennie. Entre 1988 et 2000, il a assassiné au moins douze personnes, et peut-être même plus, avant d'être finalement appréhendé chez lui, à El Ray, en Californie, grâce aux informations fournies aux autorités par son épouse, qui partageait son existence depuis quatre ans. Randall Mosley, jugé en 2001, attend aujourd'hui son exécution dans le couloir de la mort.

» Comme Channel 5 News l'a annoncé la semaine dernière, l'ex-femme de Randall Mosley s'est établie il y a six ans dans le Triangle, où elle travaille et élève leur fils qui était âgé de six mois au moment de l'arrestation de son père. Dans son désir de couper les liens avec son ancienne vie, Nina Mosley a depuis fait légalement changer son nom. Or, récemment, sa véritable identité a été révélée par Charles Pritchett, père d'une des victimes de Mosley, Carrie Pritchett. »

Jennifer McLean détourna son regard de la caméra et, un sourire aux lèvres, reporta son attention sur moi. Pour l'avoir vue souvent à la télévision, je la savais intelligente, compétente et sérieuse. « Lorsque j'ai interviewé M. Pritchett, reprit-elle, je lui ai demandé pourquoi il s'attaquait à vous maintenant, au bout de tant d'années, alors que vous semblez simplement désireuse de reconstruire votre vie après une épreuve terriblement dévastatrice. À votre avis, quelles sont ses motivations ? »

Je pris une profonde inspiration. J'avais beau avoir répété le discours que je m'apprêtais à tenir, il n'en était pas moins sincère. « Je ne peux qu'imaginer la détresse de M. Pritchett et de toutes les familles des victimes, dis-je d'un ton grave. Croyez-moi, je les plains de tout mon cœur et je prie pour eux chaque jour que Dieu fait. Il ne se passe pas une heure sans que je me demande comment j'aurais pu empêcher ce qui est arrivé à leurs proches. Mais Randy m'a bernée comme il a berné tout le monde durant des années, de ses collègues de travail aux membres de notre Église. Personne ne l'a jamais soupçonné.

— Pourtant, M. Pritchett insiste sur le fait que certains des faux papiers d'identité découverts dans la maison que vous partagiez avec M. Mosley étaient à votre nom… » Jennifer McLean me gratifia d'un joli sourire pour me montrer qu'elle ne me voulait aucun mal, qu'elle se contentait de remplir ses obligations professionnelles en présentant le point de vue de la partie adverse. « Il me semble qu'ils incluaient plusieurs permis de conduire délivrés par différents États et des passeports sur lesquels votre photo s'accompagnait d'un nom d'emprunt. De plus, si je me souviens bien, des traces de votre ADN ont été relevées sur deux des scènes de crime…

— C'est exact. Je me permets toutefois de vous rappeler ce que les experts ont expliqué au jury pendant le procès : lorsque des personnes vivent ensemble, il se produit régulièrement un transfert d'ADN entre elles, ne serait-ce que par les cheveux. Les miens, qui ont été retrouvés sur les vêtements de mon mari, provenaient peut-être de notre penderie ou d'une de nos voitures. Ensuite, je ne sais pas s'ils ont été déposés intentionnellement ou disséminés par inadvertance sur les lieux des meurtres.

— Et pour les faux papiers d'identité ? »

Je tentai de me composer une mine pensive. « J'ai beaucoup réfléchi à la question, vous savez. Personne ne pourrait dire ce qui se passait dans la tête de Randy, ni moi ni les nombreux psychiatres qui l'ont examiné. Ils n'ont jamais été en mesure de déterminer avec certitude si c'était un sociopathe, un malade mental ou un remarquable comédien. Quoi qu'il en soit, les tueurs en série obéissent à des motivations complexes, ils sont gouvernés par des fantasmes le plus souvent très éloignés de la réalité. Randy pensait sans doute pouvoir me convaincre de m'enfuir avec lui au cas où il serait menacé, peut-être en utilisant notre fils comme moyen de pression. En tout cas, il se trompait. J'ai alerté les autorités à la minute même où j'ai découvert ce qu'il avait fait. »

Jennifer McLean hochait la tête. Je me sentais plus détendue, à présent, et lorsque je jetai un coup d'œil aux Rowe, tous deux levèrent le pouce en signe d'encouragement.

Puis la journaliste demanda : « Vous souvenez-vous d'un certain Lane Dockery ? »

Durant un instant, je ne sus quoi répondre. Je me rappelais le nom, bien sûr, mais je n'aurais jamais imaginé qu'il puisse resurgir maintenant. Duane Rowe fronça les sourcils, manifestement surpris lui aussi. « Le romancier, vous voulez dire ?

— Tout juste. Il a sorti un livre sur Randy, n'est-ce pas ?

— Ils étaient deux à s'y intéresser, oui. » Lane Dockery et un autre écrivain nommé Ronald quelque chose. Pour autant que je le sache, son ouvrage s'était moins bien vendu que celui de Dockery. « Je leur ai répondu à tous les deux que je ne souhaitais pas participer à leur projet. J'ai même refusé de l'argent.

— Saviez-vous que M. Dockery avait décidé d'examiner de nouveau cette affaire en vue de compléter le travail commencé à l'époque du procès ? Et qu'il est officiellement porté disparu depuis six semaines ? »

Je ne pus retenir une grimace, et aussitôt j'eus l'impression que la caméra faisait un gros plan sur moi. « Non, je… je l'ignorais, bredouillai-je, déstabilisée. Mais pourquoi voudrait-il reprendre le sujet maintenant, après toutes ces années ? » m'étonnai-je à voix haute.

Carolyn, qui venait d'entrer dans mon champ de vision, se passa une main en travers de la gorge pour m'enjoindre de me taire.

« Je n'en ai pas la moindre idée, reprit Jennifer McLean. Nous n'avons eu connaissance de cette information que récemment, alors que nous préparions votre interview. Nous avons appelé M. Pritchett pour lui demander si Lane Dockery s'était manifesté, et il nous a répondu que non. Il a également suggéré que de nouveaux éléments avaient pu susciter un regain d'intérêt chez M. Dockery. »

Je m'efforçai de lui opposer un visage imperturbable. « Eh bien, je ne vois pas du tout de quoi il pourrait s'agir. »

Jennifer McLean haussa les épaules de façon imperceptible. « Peut-être que M. Dockery avait réussi lui aussi à vous retrouver. D'après sa famille, une enquête est en cours mais il n'a donné aucun signe de vie depuis plusieurs semaines. »

Devinant qu'elle m'aiguillonnait, je me bornai à hocher la tête.

Enfin, elle voulut savoir si tout ce battage affectait mon fils. « Nous en avons appris un peu plus sur nos vrais amis, déclarai-je. Mais je préférerais le laisser en dehors de la discussion, si vous le voulez bien. »

Elle accepta. Alors que les cameramen commençaient à ranger leur matériel, elle se pencha pour me tapoter le bras. Elle-même avait une petite fille, me confia-t-elle, et elle supprimerait la dernière question.

« Dockery… », marmonna Duane d'un air lugubre. Depuis le départ de Jennifer McLean et de son équipe, les Rowe et moi étions toujours assis dans le patio, au milieu des pots en terre cuite et de la végétation exubérante. Duane regarda sa femme. « On va devoir faire quelques recherches sur lui, dit-il avant de se tourner vers moi. Donc, il n'a pas tenté de vous contacter ?

— Je n'avais même pas pensé à lui depuis des années », répondis-je. J'avais tellement envie d'une cigarette que pour un peu j'aurais roulé et allumé une feuille de palmier. «Bon, il faut que j'y aille. Je veux être à la maison quand mon fils rentrera de l'école.»

Carolyn paraissait abattue. «Ce week-end, je vous offre un verre, d'accord? me dit-elle. Ça vous changera les idées. D'ailleurs, je vous promets qu'on ne fera aucune allusion à toute cette histoire. Je suis même prête à vous payer une baby-sitter.»

La proposition était tentante, je devais bien l'admettre. Mais au moment où j'ouvrais la bouche pour accepter, je me surpris à leur parler du message que Charles Pritchett avait laissé sur mon pare-brise. Et de la jeune fille retrouvée morte dans le Tennessee. Ma voix me trahit lorsque j'ajoutai: «J'ai peur, vous savez. J'ai vraiment peur pour mon fils.»

X

Je le sentais vivre en moi.

Allongée sur notre lit, un livre de poche dans une main, l'autre posée sur le doux renflement de mon ventre, j'avais conscience de cette pulsation à peine perceptible qui s'accélérait parfois de façon inquiétante mais résonnait la plupart du temps à un rythme régulier, comme un bruit de fond constant. En six mois, j'avais eu le temps de me familiariser avec ce phénomène dont m'avaient parlé les femmes enceintes – un de ces aspects merveilleux de la grossesse susceptibles de compenser certains désagréments tels que les chevilles enflées, les douleurs dans le dos ou les nerfs à vif. Lorsque je plaçais la main de Randy sur mon ventre afin qu'il puisse sentir à son tour les mouvements de notre enfant, il ne manquait jamais de me débiter les platitudes attendries de rigueur, et pourtant je voyais bien que ce contact physique le troublait profondément. J'avais même l'impression qu'il lui répugnait, d'une certaine façon. Sa paume toujours moite ne s'attardait sur ma peau que le temps où je la tenais.

Ce sentiment de lien intime avec un être à la fois indissociable et distinct de moi avait eu raison de mes réticences initiales. J'éprouvais souvent de grandes bouffées d'allégresse mais ce trop-plein d'émotion se muait parfois en accès de panique irrationnelle qui me coupaient le souffle et déclenchaient des crises de palpitations. *Attention, c'est mauvais pour le bébé,* pensais-je alors en m'obligeant à prendre de profondes inspirations comme le conseillait le livre du docteur Lamaze.

Ce soir-là, j'étais distraite, d'abord parce qu'on finit par s'habituer à tout, même à la magie de la conception, et ensuite parce que Randy faisait un vacarme de tous les diables dans la salle de bains. S'il avait fermé la porte, je l'entendis néanmoins s'asperger d'eau devant le lavabo (à grandes claques, de sorte qu'il laisserait des flaques partout sur le carrelage), se gargariser et se rincer deux fois la bouche, renverser le porte-savon, jurer puis le remettre bruyamment en place.

Mon rythme de vie avait changé depuis que j'avais donné ma démission, ce qui nous perturbait tous les deux. Je me couchais tard, il m'arrivait même d'arpenter la maison toute la nuit, et je ne pouvais pas me lever le matin. J'étais souvent prise d'une frénésie de shopping, j'achetais toutes sortes de choses pour le bébé puis, une fois rentrée à la maison, je ne leur trouvais plus d'intérêt et je les rapportais au magasin. Rien ne me satisfaisait. La nursery au bout du couloir débordait de jouets et de gadgets de puériculture. J'avais déjà repeint les murs deux fois en deux mois, hésitant entre bleu clair et aigue-marine ; les ouvrages de psychologie enfantine que j'avais consultés ne s'accordaient pas sur la couleur la plus à même de stimuler les jeunes esprits.

De l'autre côté de la porte me parvenait maintenant le bourdonnement de la brosse à dents électrique et j'imaginai Randy penché, laissant couler dans la cuvette des filets de salive mêlée de dentifrice. De toute évidence, il se démenait pour attirer mon attention, escomptant sans doute une réaction de ma part, mais j'étais plongée dans la troisième partie d'*Un tueur si proche*, d'Ann Rule, et même s'il avait réussi à me déconcentrer, je n'avais pas l'intention de le lui montrer. Ah, le mariage… Dans notre cas, un bel exemple de guerre larvée, mesquine, menée chaque soir dans l'intimité de la chambre. Pas d'avancée, pas de retraite, pas de reddition.

Enfin, Randy sortit en s'essuyant le visage avec une serviette. Sans lever les yeux de mon livre, je lui demandai d'éteindre la lumière dans la salle de bains. Avec un soupir exaspéré, il gifla l'interrupteur.

« Doucement, marmonnai-je. Tu vas tout casser… »

Il vint s'allonger près de moi sans desserrer les dents puis remonta ostensiblement les couvertures, gonfla son oreiller, se tourna d'un côté, de l'autre, et enfin tendit le bras pour éteindre la lampe de chevet. Incapable de lire une ligne de plus, je posai mon ouvrage sur mon ventre.

« Si tu as un problème, pourquoi tu ne le dis pas, tout simplement ? »

Randy commença par me foudroyer du regard avant d'opter pour l'expression du petit garçon blessé, un masque qui m'était familier : il voulait quelque chose. « Désolé, mais tes horaires fantaisistes ne me conviennent pas du tout. Je dois me lever dans six heures et toi, tu n'as même pas sommeil.

— C'est toi qui as insisté pour que je démissionne, je te signale !

— Et j'aurais dû deviner que ça t'empêcherait de dormir ?

— Tu sais, tu ne devrais pas trop te plaindre maintenant… Attends de voir dans quelques mois, quand tu seras obligé de te lever trois fois par nuit pour nourrir le bébé, le bercer ou le changer ! En attendant, je peux très bien aller m'installer en bas pour lire si ça te dérange.

— Non, j'ai trop besoin de te sentir tout près de moi », dit-il d'un ton suggestif. Ou peut-être moqueur, je n'étais plus capable de faire la différence. Comme je ne daignais pas sourire, il reprit son air de martyr et tapota la couverture de mon livre de poche. « Tu as toujours le nez dans ces bouquins, depuis quelque temps. Je devrais m'inquiéter ?

— Je te rappelle qu'ils étaient dans tes affaires. » Durant les premiers mois de ma grossesse, nous avions passé nos week-ends à vider ce que nous appelions jusque-là le « bureau » de Randy (mais qui servait surtout de débarras) et à réaménager la pièce en nursery. Alors que je nettoyais le placard, j'avais découvert un grand carton rempli de ces récits inspirés de faits divers, surtout des poches jaunis, dont bon nombre achetés d'occasion à en juger par les prix encore collés dessus. Au début, Randy avait paru embarrassé quand je lui avais fait part de ma trouvaille, puis il avait affirmé qu'il s'était procuré ce lot au cours d'une braderie organisée par la bibliothèque. Cette réponse m'avait un peu surprise : il ne m'avait jamais dit qu'il allait à la bibliothèque.

La plupart de ces ouvrages relataient des affaires de meurtres, certaines dont j'avais entendu parler, d'autres dont j'ignorais tout jusque-là. Les couvertures racoleuses étaient caractéristiques du genre : portraits de famille éclaboussés de sang ou clichés judiciaires en noir et blanc des monstres responsables du carnage. Presque tous incluaient dix à quinze pages d'illustrations insérées dans un cahier central : portraits d'enfants qui, devenus des hommes, s'étaient amusés à torturer des êtres humains dans des caves lugubres ; photos de scènes de crime montrant des corps étendus dans des fossés ou des chambres, retouchées juste ce qu'il fallait pour rester accrocheuses sans trop heurter les âmes sensibles. Les commentaires en quatrième de couverture émanaient plus souvent de représentants de la loi que de critiques littéraires. Le livre d'Ann Rule parlait de Ted Bundy, d'autres du Tueur de la Green River, de John Wayne Gacy ou de Richard Ramirez. Lane Dockery était l'auteur de deux de ces récits, le premier sur Jeffrey Dahmer, le second sur un immigrant clandestin soupçonné d'avoir tué des dizaines de femmes dans des petites villes perdues au milieu de nulle part près de la frontière de l'Arizona. Je me rappelais vaguement le scandale causé par cette publication, que certains avaient trouvée raciste. Mais pour autant que je puisse en juger par mes lectures, la majorité des meurtriers en série avaient le profil de l'Américain moyen type.

Quoi qu'il en soit, j'éprouvais désormais une fascination aussi inexplicable que malsaine pour ces textes, que je dévorais littéralement. J'en avais déjà lu six en trois mois. Peut-être accentuaient-ils mon extrême fébrilité – un état que Randy et moi mettions plutôt sur le compte des changements hormonaux qui s'opéraient en moi – en m'inspirant toutes sortes de scénarios plus horribles les uns que les autres au sujet de ce monde que mon fils allait découvrir. (À ce stade, nous avions appris que ce serait un garçon ; l'échographie l'avait confirmé, et si la nouvelle avait paru réjouir Randy, j'avoue pour ma part avoir été un peu déçue sur le moment.) J'avais l'impression qu'une force indépendante de ma volonté me poussait à explorer les recoins les plus sombres de l'âme humaine pour en mesurer toute la laideur potentielle ; ainsi, sachant à quoi m'attendre, je serais mieux préparée à protéger mon enfant. Des visions de la famille Renault, moitié hallucinations, moitié réminiscences de photos parues dans la presse, me traversaient parfois l'esprit comme un avertissement que je m'obstinais à ignorer.

Les yeux toujours fixés sur la couverture de mon livre, Randy haussa les épaules et me répéta l'explication qu'il m'avait donnée lorsque j'avais découvert le carton : « Bah, j'ai eu une phase.

— Je comprends pourquoi, répliquai-je, sincère. Ces trucs-là, c'est comme le chocolat. Quand on commence, on ne peut plus s'arrêter ! »

Il me tourna le dos. « Attention aux risques d'indigestion ! Sérieux, tu devrais t'intéresser à autre chose pendant un temps, lire des bouquins de nana, par exemple.

— Pourquoi ? Tu préférerais que je sois sans arrêt pendue à ton cou, à te murmurer des mots doux ? »

Randy étouffa un petit rire. « Je ne veux pas que tu fasses des cauchemars, c'est tout. Tu as le sommeil agité, quand tu arrives enfin à t'endormir. L'autre fois, tu t'es mise à hurler à quatre heures et demie du matin ! Je t'ai réveillée mais je parie que tu ne t'en souviens même pas. »

Déconcertée, je demeurai silencieuse. Il avait raison, je ne me souvenais absolument pas de cet épisode. À moins qu'il ne l'ait inventé ? Mais dans quel but ? Pour mieux me convaincre de l'influence néfaste de certaines lectures ? Peut-être. En même temps, une étrange sensation au creux de mon ventre me laissait supposer qu'il ne mentait pas. C'était effrayant, ce trou noir dans ma mémoire, comme une sorte de défaillance brutale de la conscience…

Machinalement, je pliai le coin de la page à laquelle je m'étais arrêtée. Puis je refermai le livre et le plaçai sur la table de chevet.

Randy me gratifia d'un baiser dénué de chaleur. Une fois les lumières éteintes, je me concentrai sur les mouvements du bébé en moi. Puis je songeai à Ted Bundy, assis à côté de la jeune Ann Rule dans ce bureau d'assistance aux personnes en détresse où ils avaient travaillé tous les deux. Avait-il envisagé de la tuer, à ce moment-là ? Imaginait-il qu'elle passerait ensuite une partie de sa vie à relater ses crimes ? J'étais impressionnée par la façon dont les psychotiques hantent leur entourage, marquent l'existence des personnes qu'ils croisent, même celles qui ne sont pas directement victimes de leurs perversions. L'auteur du dernier ouvrage que j'avais lu, *L'Affaire du Dahlia Noir*, en était arrivé à soupçonner son père d'être un tueur en série. Vous imaginez ? Votre propre père... Je frissonnai en me demandant, peut-être pour la millionième fois : *Comment font-ils pour garder le secret ?* Comment ces individus parviennent-ils à se fabriquer une double vie sans que leurs proches ne se doutent de rien ?

XI

1 Thomas Beasley, le directeur adjoint de l'école de Hayden,
   m'appela chez moi. Au téléphone, il parvenait à s'exprimer
d'un ton à la fois solennel et énergique alors qu'il m'avait plutôt fait
l'effet d'un individu particulièrement mou les quelques fois où je
l'avais rencontré. Il avait de la chance de travailler en primaire ;
jamais il n'aurait pu s'en sortir avec des adolescents.

En attendant, un tel appel en plein milieu de la journée n'augu-
rait rien de bon.

« Madame Wren ? Hayden s'est retrouvé mêlé à une bagarre,
aujourd'hui. J'aimerais avoir un entretien avec vous, si c'est
possible.

— Mon fils s'est toujours bien comporté depuis qu'il est dans
votre établissement », répliquai-je, aussitôt sur la défensive. C'était
vrai et Beasley devait le savoir. Hayden n'avait jamais eu le moindre
problème de discipline ; je ne l'imaginais pas en venir aux poings à
moins d'être violemment pris à partie ou acculé dans un coin… « On
a dû le provoquer.

— Je ne demande qu'à vous éclairer sur ce point. Hayden est
là, dans mon bureau, il pourra aussi vous donner sa version des
faits. Quand comptez-vous arriver ? »

Je me maquillai légèrement, surtout pour dissimuler les cernes
sous mes yeux, puis attachai mes cheveux et pris le volant pour faire
les dix minutes de trajet jusqu'à l'école élémentaire de Cary. Loin
d'être l'établissement privé le plus coûteux de la région, elle avait
néanmoins meilleure réputation que l'école publique, située en outre

à l'autre bout de la ville. Sans compter que les infrastructures elles-mêmes étaient de bien meilleure qualité, grâce aux frais de scolarité annuels versés par les familles. De vastes bâtiments beige et brun entouraient la partie centrale abritant les bureaux de l'administration ; salles de classe à droite et à gauche, gymnase et auditorium ultramodernes derrière. À l'entrée, un agent de sécurité me demanda mon nom. Je lui expliquai que j'étais attendue, ce qui ne l'empêcha pas de me faire patienter le temps de vérifier mon identité auprès du standard. Je savais bien qu'il s'agissait de mesures censées me rassurer sur les dispositions prises pour garantir la sécurité des enfants, mais j'eus du mal à maîtriser mon impatience.

Lorsque, enfin, j'approchai de l'entrée, je remarquai à travers les cloisons vitrées deux ou trois professeurs qui bavardaient dans le couloir, ainsi qu'un petit garçon solitaire assis sur une chaise, les jambes dans le vide, l'air tout malheureux. Je me dirigeai droit vers l'accueil. Quand j'indiquai mon nom à la standardiste, elle me gratifia d'un regard un peu plus appuyé que nécessaire – une réaction fréquente chez les personnes que je croisais depuis la semaine précédente, genre « Je n'ai pas vu votre photo dans le journal ? » Oh si, hélas… « M. Beasley va vous recevoir dans une minute », dit-elle.

Le directeur lui-même s'absentait si souvent pour assister à des conférences ou remplir les diverses obligations de sa fonction que bien des parents en arrivaient à douter de son existence. La plupart du temps, nous avions donc affaire à Thomas Beasley, que son titre d'adjoint semblait appeler à régler toutes sortes de questions, du maintien de la discipline à l'organisation des réunions parents-professeurs en passant par les menus de la cantine. J'avais souvent ressenti de la compassion, voire une certaine pitié pour lui ; ce jour-là, cependant, il n'en était rien. Lorsque la porte de son bureau s'ouvrit, quelques minutes plus tard, je me sentais prête à l'étriper. Or ce ne fut pas Thomas Beasley qui sortit mais une famille entière : la mère, le père et le fils. En reconnaissant ce dernier, j'eus un frisson d'appréhension ; son visage avait beau être en partie caché par une grosse boule de mouchoirs en papier ensanglantés, sa tignasse rousse bouclée le rendait reconnaissable entre tous. Ashton Hale… Sa réputation seule suffit à me conforter dans l'idée que mon fils n'était certainement pas en tort. Derrière ce pansement improvisé se dissimulait en effet l'un des plus redoutables garnements de l'école. Depuis la rentrée, il avait entre autres téléchargé des photos porno sur un ordinateur de la bibliothèque (oui, à sept ans) et allumé des pétards dans le parking. C'était tout à fait le genre d'élève capable de conduire son instituteur à envisager un changement de carrière.

Andrew Hale, le père, était cadre dans l'une des entreprises de recherche du Triangle. Pâle, dégingandé, ce spécialiste des technologies de l'information avait entamé sa carrière vingt ans plus tôt et gagné une petite fortune depuis. Il me croisa sans un regard, contrairement à Ashton, qui me fit les gros yeux en marmonnant des paroles étouffées par les mouchoirs en papier pressés contre sa bouche. C'était sans doute une bonne chose que je n'aie pas entendu ses propos, car je ne me sentais pas d'humeur à tolérer ses insolences. Quant à la mère, Jerri, toujours impeccable jusqu'au bout des ongles, elle paraissait dans un état de grande agitation. « Allez m'attendre dans la voiture, dit-elle à ses deux hommes. J'aimerais parler à Leigh… enfin, à Nina. Je vous rejoins tout de suite.

— Bonjour, Jerri. »

Beasley, apparu sur le seuil de son bureau, nous regardait d'un air inquiet, craignant manifestement une nouvelle version de ce qui avait dû être une scène monumentale. « Madame Hale ? commença-t-il. Il faut que je voie Mme Wren et…

— Juste une minute. » Le coup d'œil dont le gratifia Jerri avait de quoi le foudroyer sur place.

Avec un soupir, il rentra dans la pièce en laissant la porte ouverte.

« L'infirmière nous a dit que mon fils aurait sûrement besoin de points de suture », déclara Jerri. Elle pinça les lèvres, affichant une expression qui suffisait sans doute à intimider son mari mais resta sans effet sur moi.

« J'en suis désolée », dis-je. Je devais fournir un gros effort pour garder mon calme. L'idée que mon petit garçon ait été obligé d'affronter seul cette imbécile toute gonflée de son importance me mettait hors de moi. « Je suis sûre que Hayden n'a fait que se défendre. »

Son brusque éclat de rire résonna avec force. « Tiens donc… J'ai déjà téléphoné à mon avocat, qui se tient prêt à intervenir auprès de la direction si l'école ne prend pas très vite les mesures appropriées. Votre fils aurait pu blesser gravement Ashton. Oh, je ne plaisante pas, Nin… » Elle écarta les mains. « Pfff ! Je ne sais même pas comment vous appeler ! Vous auriez peut-être intérêt à placer Hayden ailleurs pour lui permettre de… d'échapper à cette pression terrible à laquelle il est soumis. »

Comme si j'étais responsable de la situation !

« Ça suffit », ordonnai-je à mi-voix. Je me rapprochai d'elle au point de percevoir les effluves d'un parfum capiteux. Bon sang, certaines femmes étaient vraiment prêtes à s'asperger de n'importe quoi… « Je vais aller me renseigner auprès de M. Beasley, qui en sait certainement plus long que vous sur ce qui s'est passé entre nos enfants. Si j'estime que Hayden mérite d'être puni, il le sera, je vous le garantis. Mais si je découvre qu'Ashton l'a provoqué, croyez-moi, c'est vous qui aurez des nouvelles de mon avocat. »

Son rire me parut beaucoup moins naturel cette fois, plus proche d'un glapissement étranglé. Je savourai cette petite victoire. « Vous ne manquez pas de culot » lança-t-elle pour finir, avant de sortir de l'école comme une furie.

Au XXIᵉ siècle, voilà comment les parents réglaient les bagarres entre gosses du primaire : par avocats interposés.

Le bureau de Thomas Beasley était encombré d'armoires métalliques et de plantes vertes, et parmi les diplômes accrochés au mur se trouvait une photo de lui en tenue d'entraîneur de football dans l'une de ses vies antérieures. Une femme que je n'avais encore jamais rencontrée était assise à côté de Hayden. Il ne leva même pas les yeux vers moi. Pour ma part, je l'examinai rapidement à la recherche d'égratignures ou de contusions, sans rien remarquer d'évident. L'inconnue se redressa, la main tendue, en se présentant sous le nom de Rachel Dutton. Tout en la saluant, je tentai de me faire une idée d'elle : corpulente, vêtue d'un tailleur pantalon, elle m'inspira une confiance immédiate ; je l'imaginais sans peine dans le rôle de l'avocate chargée d'assurer notre défense – ce qui se révéla être le cas. Elle avait des yeux étonnants, d'un beau vert clair, à l'expression pénétrante, et ses courts cheveux bruns encadraient un visage respirant l'intelligence.

Je pris sa place auprès de Hayden, que je saisis doucement par le menton pour l'obliger à tourner la tête vers moi. Il me défia du regard. « Tout va bien, mon chéri, je suis avec toi… » Je m'adressai ensuite aux deux adultes. « Allez-y, je vous écoute. »

Thomas Beasley remettait de l'ordre dans les papiers sur sa table. Enfin, après m'avoir dévisagée d'un air malheureux, il déclara : « Selon M. Drake, l'instituteur de Hayden, les garçons se sont bousculés dans le couloir alors qu'ils se rendaient au labo d'informatique. Apparemment, votre fils en est vite venu aux poings. Vous avez pu constater par vous-même l'état d'Ashton. Un de ses camarades a également l'oreille enflée suite au coup porté par Hayden, mais l'infirmière nous a affirmé que ce n'était pas grave. »

Quand j'enlaçai mon fils, il s'agita sur sa chaise, le regard fixé sur la fenêtre derrière le directeur adjoint. « Qu'est-ce qu'ils t'ont dit, mon cœur ? » demandai-je.

Rachel Dutton cala son imposant fessier contre la table de travail puis s'éclaircit la gorge. « Voyez-vous, madame Wren, nous sommes évidemment au courant de ce que les médias ont raconté au sujet de votre histoire personnelle. Je me rends bien compte que ce n'est pas votre faute, ni celle de Hayden, mais les gens parlent, forcément. Les gosses aussi. En même temps, il faut que votre fils apprenne à se maîtriser, à ne pas répondre aux provocations par la violence physique.

— Ils ont dit des tas de méchancetés sur toi, intervint Hayden, qui me jeta un bref coup d'œil avant de reporter son attention sur la fenêtre. Ils ont dit que tu devrais être en prison avec papa. Ashton t'a même traitée de sal…

— Ce sont des imbéciles, Hayden, murmurai-je. Tu ne dois pas faire attention à eux. » À l'adresse des deux adultes, j'ajoutai : « Pourquoi l'instituteur n'est-il pas intervenu avant que les choses dégénèrent ? Et pourquoi Ashton n'est-il pas puni ?

— Il semblerait que M. Drake ne se soit aperçu de rien avant le début de la bagarre, répondit Thomas Beasley. Vous savez, en temps normal, nous nous contentons de demander aux garçons de se présenter mutuellement des excuses et de se serrer la main. Malheureusement, dans la mesure où Ashton a eu la lèvre fendue, je vais devoir prendre des sanctions. »

Je secouai la tête.

« Oh non, certainement pas. À moins qu'une sanction ne soit également prise à l'encontre du petit Hale. Je veux bien admettre que Hayden a participé à cette bagarre, mais vous ne pouvez pas laisser l'autre s'en tirer comme ça.

— Le problème, c'est que c'est sa parole contre la leur et qu'ils étaient plusieurs…

— Plus de deux, vous voulez dire ? »

Le directeur adjoint poussa un gros soupir. « Il semblerait qu'il y ait eu cinq garçons impliqués dans cette altercation. »

Je ne pus retenir un petit rire chargé d'amertume. « Cinq gosses ligués contre mon fils, et c'est lui qui est puni ?

— Eh bien, répliqua Thomas Beasley en gratifiant Hayden d'un coup d'œil admiratif, c'est le seul à s'en être sorti sans une égratignure. »

Une repartie cinglante me venait aux lèvres lorsque Rachel Dutton, percevant probablement mon indignation, s'empressa d'intervenir :

« Avec Thomas, nous avons parlé de cet incident avant votre arrivée, madame Wren, et nous pensons avoir trouvé une solution satisfaisante pour tout le monde. Voilà, nous vous proposons de garder Hayden une heure après la classe pendant deux semaines. Officiellement, il sera en retenue et ainsi il pourra faire ses devoirs à l'étude. »

Le soulagement se lisait sur le visage de Thomas Beasley. « Vous comprenez, renchérit-il, Rachel a l'habitude de travailler avec les enfants perturbés. Elle s'en occupe souvent le soir, après les cours… » Devant mon expression, il rectifia aussitôt : « Non pas que nous jugions Hayden perturbé, bien sûr. Mais il nous semble qu'il a mal réagi et qu'il aurait peut-être besoin d'un peu plus d'attention.

— Et de cette façon, vous vous assurez que Jerri Hale n'appelle pas son avocat », rétorquai-je.

Il haussa les épaules. «En cas de poursuites, nous ne serions pas les seuls visés, madame Wren. Et je ne crois pas que vous ayez envie de complications juridiques supplémentaires en ce moment. »

J'aurais voulu laisser libre cours à ma colère, balayer les piles de documents sur le bureau de Thomas Beasley, renverser ses armoires, fracasser sa tasse de café sur son crâne chauve de fonctionnaire zélé… Sans compter que Rachel Dutton, sans doute sensible au tumulte en moi, affichait un air compatissant qui faillit bien avoir raison de mes dernières réserves de sang-froid. Enfin, je m'exhortai au calme et passai une main dans les cheveux de Hayden. «Qu'est-ce que tu en penses, Superman? Je pourrais venir te chercher le soir, ce qui t'évitera de prendre le car pendant quinze jours. »

Son haussement d'épaules résigné me fendit le cœur. «Ça les empêchera pas de dire des trucs méchants. Sauf que la prochaine fois, ils s'arrangeront pour que personne le sache. »

Thomas Beasley se pencha vers lui. «Écoute, fiston, je te promets de tout mettre en œuvre pour empêcher ces garçons de recommencer. Je vais les convoquer un par un ici même, dans ce bureau, pour leur expliquer ce que je pense de leur attitude. En contrepartie, si jamais ils se moquaient à nouveau de toi, je voudrais que tu t'engages à avertir un professeur au lieu de te servir de tes poings. Tu es d'accord? »

Devant le silence de Hayden, je murmurai : «Réponds, mon chéri.

— D'accord », dit-il dans un souffle.

Au même moment, comme pour marquer la fin de l'entretien, la cloche sonna. Les couloirs résonnaient de bavardages et de rires lorsque nous sortîmes du bâtiment. Il était quinze heures et tous les cars s'alignaient le long du trottoir, moteur au ralenti, emplissant l'air de leurs gaz d'échappement. Une fois dans la voiture, je me tournai vers Hayden. «Tu ne dois pas les écouter, mon chéri. Sinon, il va falloir que tu te battes tout le temps.

— Faut déjà que je me batte tout le temps, m'man. »

2   Au moment du journal télévisé de vingt-deux heures, je me sentais tellement vidée que je n'eus même pas la force d'en vouloir à Jennifer McLean. La diffusion de l'interview se termina avant même que je n'aie eu le temps de considérer mes propos ou l'image que je renvoyais. Quoi qu'il en soit, je m'en fichais ; je voulais juste que tout ça s'arrête. Je voulais juste retourner à la petite vie banale et anonyme que j'avais eu tant de mal à me forger depuis le procès de Randy. Je voulais juste que Hayden puisse encore se faire des amis et croire que son père était un minable indigne d'avoir sa place dans notre existence et nos pensées.

Mais bien sûr, c'était impossible. Je le déplorais, et en même temps je me réjouissais d'être enfin délivrée des mensonges ; au moins, je n'avais plus à redouter le jour où Hayden découvrirait la vérité. Cette épreuve-là se trouvait maintenant derrière nous et c'étaient les conséquences qu'il me fallait à présent gérer.

Carolyn Rowe me téléphona à la fin du journal télévisé. « Ce n'était pas aussi terrible que vous le pensiez, hein ? lança-t-elle d'un ton enjoué qui sonnait faux.

— N'empêche, la question sur Dockery a eu l'effet escompté. Elle semblait insinuer que j'avais quelque chose à voir dans sa disparition. J'avais l'air coupable.

— Sauf que vous ne l'êtes pas ! protesta Carolyn. Et vous aviez surtout l'air d'une personne normale qui cherche à protéger sa vie privée. Croyez-moi, ils seront sans doute plus nombreux que vous ne l'imaginez à pouvoir vous comprendre.

— Et je suppose qu'un détective privé en sait long sur la question… »

Elle éclata de rire. « Exact. Bon, si je vous appelle ce soir, c'est pour vous prévenir que je vais m'absenter quelques jours afin de régler certains détails. Je devrais rentrer en début de semaine prochaine et j'aimerais qu'on se voie à ce moment-là. Entre-temps, vous auriez peut-être intérêt à partir vous aussi, à louer un bungalow près de la plage, par exemple, pour vous aérer un peu. Il ne devrait pas y avoir grand monde à cette époque de l'année. »

L'idée était tentante, aussi répondis-je que j'allais y réfléchir. Mais après avoir raccroché, j'eus la vision déprimante de kilomètres de plage déserte et d'une mer gris acier sous un ciel hivernal. Si j'avais envie de contempler un paysage désolé, je pouvais tout aussi bien rester ici, ce qui m'économiserait les frais d'hôtel. Par la fenêtre de ma chambre, j'avais vue sur une vaste étendue de réalisations architecturales répétées à l'infini – des maisons toutes pareilles pour des gens tous pareils, qui ne manqueraient pas de porter un même jugement sur moi après mon passage à la télé.

XII

« On a deux ou trois faits nouveaux qui, à mon avis, devraient vous aider à convaincre Pritchett de renoncer à sa campagne contre vous », annonça Duane.

Nous étions assis près de la fenêtre dans un restaurant de Champs, face à la promenade qui traversait Southpoint Mall. Il n'y avait pas foule dehors en ce début d'après-midi, juste quelques employés sortis du centre commercial pour fumer une cigarette ou donner un coup de téléphone. Les Rowe s'étaient présentés chez moi quelques heures plus tôt et, après m'avoir examinée, avaient déclaré que j'avais besoin de prendre l'air. Non seulement je n'étais pas allée à la plage durant le week-end, mais j'étais restée enfermée à la maison à regarder des dessins animés avec Hayden. Nous n'avions pas beaucoup parlé ni l'un ni l'autre, et j'avais beau me répéter que nous passions un bon moment, j'attendais néanmoins avec une certaine impatience qu'il retourne à l'école le lundi.

Et ensuite, évidemment, à peine était-il monté dans le bus que je m'ennuyais déjà de lui.

Carolyn Rowe semblait aussi mal en point que moi. Elle avait les yeux cernés et la bouche pincée. Ses cheveux blond platine étaient rassemblés en un chignon lâche, hérissé de mèches folles. Elle paraissait à la fois vidée et à cran. Pour la première fois, je me dis qu'elle accusait son âge.

Je dépliai machinalement ma serviette de table, sortis les couverts logés à l'intérieur puis entrepris de la replier. Le couple ne me quittait pas des yeux. « D'accord, dis-je enfin. Qu'est-ce que vous avez trouvé sur lui ? »

Le visage de Duane s'éclaira. « Enfin une réaction positive ! » s'exclama-t-il. Il retira un ordinateur portable du sac qu'il avait posé à côté de lui et l'alluma. Au même moment, le serveur s'approcha pour prendre notre commande. Lorsqu'il se fut éloigné, Duane pianota sur le clavier avant d'orienter la machine vers moi. Je découvris sur l'écran une photo en noir et blanc montrant un homme massif au crâne rasé, dont le visage semblait tassé entre une mâchoire épaisse et un front plissé. Il fixait l'objectif d'un œil mauvais. Suivaient plusieurs pages d'informations rédigées selon des formules standard.

« Vous aviez déjà eu l'occasion de voir un casier judiciaire ? » demanda Carolyn avec un sourire.

Je fis non de la tête.

« Et encore, ce n'est qu'un résumé… Il faudrait au moins une heure pour transférer le document entier ! »

Sans sortir du fichier, Duane afficha une nouvelle fenêtre. Celle-ci comportait également plusieurs pages de texte, que Duane fit défiler jusqu'à ce que je remarque le nom de Randy. Un peu plus bas figuraient une date – celle du samedi précédent – et deux autres noms, dont celui de Carolyn.

« Qui est cet Alfred Odom ? » demandai-je, les yeux plissés pour mieux lire. Je me tournai vers Carolyn. « Où êtes-vous allée, ce week-end ?

— À la prison de San Quentin. Alfred Odom, c'est l'homme dont vous venez d'apercevoir le casier. Il est actuellement dans le couloir de la mort pour avoir abattu un agent de sécurité devant un grand magasin il y a neuf ans, et je l'ai rencontré deux fois ces derniers jours. Il a été chargé par Charles Pritchett de payer un autre détenu, nommé Lars Lindholm, pour tuer Randy.

— Oh. » J'aurais sans doute dû me souvenir de Lars Lindholm, la treizième victime de mon mari, celle qui avait trouvé la mort en essayant de le supprimer. Les médias n'avaient cependant pas spécialement développé l'affaire au-delà de ce que j'avais vu un soir au journal télévisé, et qui m'avait poussée à raconter ce mensonge pitoyable à mon fils. « Vous avez aussi parlé à Randy ?

— Non. Il n'a pas voulu. » Carolyn m'observait avec attention. « Écoutez, je sais que j'aurais dû vous mettre au courant, mais je n'avais pas envie de vous stresser inutilement. De toute façon, puisqu'il avait refusé, je n'avais pas de recours. Je n'ai aucun élément nouveau le concernant, donc aucune légitimité pour l'interroger. Je pensais quand même qu'il accepterait une visite – après tout, il est dans le couloir de la mort depuis quoi, six ans ? Les condamnés comme lui sont séparés du reste de la population, ils n'ont guère de relations sociales. Cela dit, il a peut-être appris que je m'étais entretenue avec Odom. Les nouvelles vont vite en prison. »

Je jetai un coup d'œil par la fenêtre. Un agent de sécurité, adossé à la façade de la librairie Barnes & Noble, lorgnait une jolie vendeuse élancée qui passait près de lui. « Vous n'avez pas peur d'aller dans ce genre d'endroit ? demandai-je à Carolyn. Et vous, vous n'avez pas peur pour elle ? ajoutai-je à l'intention de Duane.

— Je suis terrifiée, répondit-elle.

— C'est d'ailleurs uniquement pour cette raison que je la laisse faire, expliqua Duane. Parce que sa frayeur accroît sa vigilance. Bref, Al Odom n'a pas été payé directement par Pritchett, mais c'est lui qui a confié le boulot à Lindholm. La somme initiale a été versée à un intermédiaire – un gardien – avant d'arriver dans les mains d'Odom. Aujourd'hui, Odom est prêt à témoigner, surtout parce qu'il pense avoir ainsi un moyen d'incriminer ledit gardien. Apparemment, il y a eu une embrouille entre eux…

— Tout le monde a touché un tiers de l'argent, sauf que Lindholm l'ignorait, précisa Carolyn. Lui pensait mettre la main sur plus de cinquante pour cent du total. Ah, les magouilles entre taulards… Bon, pour le moment, je n'ai pas cherché à interroger le gardien. À mon avis, ce ne sera pas nécessaire : si on informe Pritchett de ce qu'on a appris jusque-là, il ne manquera pas de laisser tomber.

— À moins que cet Odom n'ait tout inventé… », objectai-je.

Duane haussa les épaules. « C'est toujours possible, bien sûr, mais j'en doute. Après tout, il n'a rien à perdre. De plus, même si je ne peux pas encore le prouver, je suis sûr que Pritchett a utilisé l'argent de sa société pour financer l'opération. Le chiffre cité par Odom correspond exactement à celui que j'ai relevé dans la comptabilité de Pritchett durant ce même trimestre concernant un prétendu achat de congélateurs mobiles. Or je n'ai trouvé nulle trace de ces appareils. Et croyez-moi, il y en avait pour cher !

— Vous avez rassemblé toutes ces informations en cinq jours seulement ? » m'étonnai-je.

Carolyn m'adressa un sourire faussement penaud. « On est doué ou on ne l'est pas !

— Attention, reprit Duane, les sourcils froncés. Rien de tout cela ne tiendrait devant un tribunal. Mais on n'a évidemment pas envie d'en arriver là, si vous voyez ce que je veux dire… »

Je voyais très bien. De toute évidence, Duane s'était introduit illégalement dans certains systèmes informatiques, et Dieu sait ce que Carolyn avait dû raconter pour se faire admettre au sein d'un quartier de haute sécurité. Quand je lui posai la question, elle me répondit néanmoins qu'elle avait joué franc jeu ; c'était même le directeur qui l'avait orientée sur Odom, m'expliqua-t-elle. Depuis longtemps, il le soupçonnait d'être derrière la tentative de meurtre perpétrée contre Randy, sans pouvoir toutefois le mettre directement en cause.

« Et puis, votre ex-mari lui a causé pas mal de problèmes, ajouta-t-elle. Randy a été impliqué dans de nombreuses bagarres avec des gardiens et d'autres détenus, qui lui ont valu des séjours répétés en isolement… Oh, et il y a autre chose que vous devriez savoir. » Carolyn se tourna vers Duane, qui l'invita d'un hochement de tête à poursuivre. « Voilà, le directeur a de bonnes raisons de penser que Randy entretient une sorte de relation épistolaire avec quelqu'un de l'extérieur ; tout son courrier, sauf sa correspondance avec ses avocats, est lu, et il semblerait que le contenu de certaines lettres ait été jugé troublant. Je n'ai pas eu le droit de les voir ni d'en obtenir des copies – pour ça, il me faudrait un mandat –, mais le directeur m'a parlé de quelques passages frappants qui pouvaient concerner Charles Pritchett et Lane Dockery. Les missives en question étaient adressées à "CB Taylor". Ça vous dit quelque chose ?

— Non.

— Ces lettres ont été envoyées à une boîte postale, poursuivit Carolyn. On ne peut pas enquêter sur l'identité du destinataire, d'abord parce que là encore il nous faudrait un mandat, et ensuite parce que rien ne permet d'affirmer à ce stade qu'un crime a été commis. N'empêche, si j'ai bien compris, le texte contenait des références au "domicile du traiteur" et au "domicile de l'écrivain".

116

C'est ce qui a alerté le directeur, surtout après l'agression contre Randy. »

Le couple m'observa pendant que je réfléchissais. « Donc, Randy aurait une dent contre Pritchett et Dockery, murmurai-je. Dans la mesure où le premier a tenté de le faire assassiner et le second de l'exploiter, ça ne me surprend pas vraiment. Il est plutôt du genre vindicatif... » Je ponctuai ces mots d'un petit rire qui s'étrangla dans ma gorge.

« Vous ne voyez pas avec qui il pourrait être en contact ? » me demanda Duane.

Je secouai la tête. « Je n'en ai pas la moindre idée. Cela dit, je suis sûre que les meurtriers comme Randy fascinent une foule de tordus. Après tout, il y a bien des femmes qui sont attirées par les assassins, non ? »

Carolyn esquissa un hochement de tête hésitant. « En fait, c'est beaucoup moins fréquent qu'on ne le pense. Mais c'est vrai, on ne doit pas écarter cette hypothèse. En attendant, l'idée que Randy puisse avoir un ou une complice à l'extérieur me fait froid dans le dos.

— Franchement, j'ai du mal à imaginer que quelqu'un veuille se charger du sale boulot à sa place », répliquai-je. Pourtant, suite à mes propres expériences pour le moins désagréables avec Dockery et surtout avec Pritchett, cette perspective n'était pas pour me déplaire.

J'appris également que Carolyn s'était engagée à partager ses informations avec le directeur de la prison à condition d'obtenir l'approbation de sa cliente. « Si vous êtes d'accord, bien sûr », conclut-elle.

Plongée dans mes pensées, j'acquiesçai machinalement de la tête. « Donc, Pritchett a dépensé une fortune pour organiser le meurtre de Randy, et comme il a échoué, il s'est retourné contre moi ?

— Il ne s'est pas contenté de distribuer de l'argent, répondit Duane. Toujours selon Odom, Pritchett a tenté pendant des années de recruter un homme de main pour se débarrasser de Randy. Une rumeur circulait parmi les prisonniers au sujet d'une proposition de contrat, mais à moins qu'ils ne jugent le commanditaire fiable ou crédible, aucun ne se risque à accepter ce genre d'offre. Ils ont trop peur de tomber dans un piège. On pense aussi que Pritchett a multi-plié les "gestes de bonne volonté" durant cette période, comme l'achat d'une nouvelle moto pour un gardien et le paiement de certains frais d'avocats pour Odom. Ça n'a pas été facile. Mais pour répondre à votre question, oui, c'est juste après l'échec de la tentative contre Randy que Pritchett s'est adressé à l'agence de mon ami pour essayer de retrouver votre trace. »

Lorsque les plats arrivèrent, les Rowe se jetèrent dessus comme s'ils étaient affamés. Je me bornai à picorer ma salade, l'estomac noué. J'avais encore du mal à croire que Pritchett ait passé autant de temps à me chercher. Déçu de ne pas avoir atteint son objectif initial, il avait dû reporter sur moi toute sa fureur vengeresse...

Au bout d'un moment, Carolyn reposa sa fourchette avec un soupir d'aise. Son visage avait recouvré des couleurs, constatai-je. Quand elle reprit la parole, elle me parut toute ragaillardie. Elle avait été journaliste autrefois, m'avait-elle confié, et je l'imaginais sans peine redoutable dans ce rôle.

« J'ai profité de mon voyage pour aller voir le clan Pritchett, me dit-elle soudain. Apparemment, ils ne sont pas nombreux dans son entourage proche à apprécier sir Charles, et ils ne se privent pas de le clamer haut et fort. D'après ce que j'ai compris, on lui reproche entre autres une mentalité de parvenu et deux mariages désastreux. Sans compter une relation conflictuelle avec sa fille Carrie. La veille du meurtre, ils ont eu tous les deux une dispute particulièrement violente. Un ex-beau-frère m'a raconté que Charles était allé la voir pour lui faire la leçon. Elle en était à sa quatrième fac en quatre ans ; chaque fois, elle laissait tomber en cours d'année et se réinscrivait à la rentrée suivante. Et elle avait déjà été arrêtée à deux reprises en possession de drogue. Du coup, le papa l'a menacée de lui couper les vivres si elle ne changeait pas son mode de vie. Presque toute la famille s'accorde à reconnaître qu'elle était un peu trop insouciante pour se prendre en charge. Bref, ce soir-là, ça a bardé entre le père et la fille. Des amis de Carrie ont dit qu'après le départ de son père, elle était bouleversée, en larmes. » Carolyn marqua une pause, comme si elle se remémorait soudain le triste destin de la jeune fille. « Quand Pritchett l'a revue, Randy était passé par là. »

Nous gardâmes le silence pendant quelques instants. Enfin, Duane dit doucement : « J'ai téléphoné à l'éditeur et à l'agent de Lane Dockery pour avoir la confirmation qu'il préparait un livre sur Randy au moment de sa disparition. Ils n'ont pas voulu me répondre, croyant peut-être que je travaillais pour un concurrent. Alors j'ai appelé la sœur de Dockery, Jeanine, qui est aux cent coups. D'après elle, son frère est mort, et il ne peut s'agir que d'un crime. Jamais il ne l'a laissée aussi longtemps sans nouvelles. Elle va fouiller son bureau et elle doit me rappeler si elle trouve quelque chose. »

Je ne l'écoutais plus que d'une oreille. Je pensais à Randy. Parfois, j'en venais à me demander s'il serait exécuté un jour. Je voulais qu'il aille en enfer, que son âme réduite à l'impuissance soit torturée sans fin par ses victimes. Qu'il subisse leur vengeance, encore et encore, sans espoir de répit ou de rédemption.

Je le souhaitais de tout mon cœur. C'était probablement un péché de raisonner ainsi mais je n'en priais pas moins pour qu'il existe une véritable justice dans l'au-delà. Celle de ce monde me semblait décidément trop arbitraire, trop inéquitable.

« À mon avis, Pritchett ne croit pas en Dieu, dis-je lorsque le serveur eut emporté nos assiettes. Il tient à assouvir lui-même sa vengeance.

— Il en a les moyens, déclara Duane. La plupart des victimes agiraient comme lui si elles en avaient la possibilité.

— Sauf qu'aucune n'a rien tenté, objectai-je. Elles ont toutes essayé d'aller de l'avant. Vous savez, j'ai eu amplement l'occasion de me familiariser avec la notion de déni. Et je peux vous dire qu'en montant cette vendetta contre moi, Pritchett a signé sa perte… » En surprenant le regard des Rowe, je m'empressai d'ajouter : « Je vais vous expliquer. Entre l'arrestation de Randy et maintenant, j'ai tenté de reconstruire ma vie, de me dissocier de lui, de ses actes et de la culpabilité que je pouvais éprouver. Je n'y suis pas parvenue complètement mais mon fils a encore une chance de s'en sortir. Alors, pour moi, et surtout pour lui, ça vaut la peine de continuer. Pritchett, au contraire, n'a jamais réussi à surmonter le drame, à se libérer. Vous imaginez à quel point ce doit être épuisant pour lui ? Au bout d'un moment, il va finir par perdre la tête, forcément. Je ne peux pas lui souhaiter plus de mal.

— Oh non, il ne perdra pas la tête, Nina, affirma Duane. Parce qu'il y trouve du plaisir. Vous n'avez pas entendu ce que sa propre famille pense de lui ? Ce type était un vrai connard avant de devenir une victime. Comment occuperait-il son temps s'il n'avait plus d'ennemis ? »

Je songeai à le reprendre, à lui demander de m'appeler Leigh, mais quel intérêt ? Mon identité avait déjà été révélée dans les journaux ; j'étais démasquée. *Libre d'être à nouveau moi-même,* pensai-je, désabusée.

« Vous êtes quelqu'un de bien, me dit Carolyn. Mais Pritchett a l'intention de vous gâcher la vie.

— Pour ça, je n'ai pas besoin de lui. »

Ils se regardèrent en soupirant. Duane referma son ordinateur portable.

Je leur présentai des excuses. Puis je les remerciai pour leurs efforts et réglai l'addition.

XIII

1   C'était le 14 août 2000. Un samedi. Ce matin-là, entre neuf heures et treize heures, alors que de violents orages déferlaient sur la vallée depuis la veille, une adolescente de seize ans nommée Daphne Snyder fut tuée dans un parc public à moins de dix kilomètres de chez nous. Une semaine plus tard, elle devait entrer en terminale. Passionnée d'arts graphiques, elle avait conçu la maquette de l'annuaire annuel de sa classe. Elle sortait avec le même garçon depuis la première et projetait de le rejoindre à UCLA l'année suivante. Les images d'elle diffusées à la télévision montraient une ravissante blonde aux yeux bleu cobalt. Son corps fut retrouvé en fin d'après-midi seulement, abandonné dans les toilettes du parc – un de ces cubes de béton purement fonctionnels avec un toit de tuiles vertes et de petits panneaux en bois pour indiquer Hommes et Femmes. Un groupe de jeunes qui s'y étaient rendus pour fumer en cachette fit la macabre découverte.

Le site était bordé par une route fréquentée que Randy prenait tous les jours pour aller travailler et que j'empruntais souvent pour aller faire des courses. De nombreuses voitures s'y étaient croisées ce samedi-là, et pourtant personne n'avait rien vu.

2   Randy se montrait étrangement agité et absent depuis la naissance de Hayden, six mois plus tôt. Aujourd'hui, c'était lui qui me rendait folle. Soit il n'arrêtait pas de tambouriner sur toutes les surfaces, de se tripoter les cheveux ou de se ronger les ongles, soit il se retranchait dans un mutisme buté. Dans ces moments-là, je

parvenais tout juste à lui soutirer quelques monosyllabes. Je me disais qu'il lui fallait du temps pour s'habituer à notre nouvelle vie, aux réalités de la paternité et aux contraintes qu'elle lui imposait. En vérité, il n'essayait même pas de m'aider à nourrir, bercer, changer ou laver notre fils. Sauf durant les trois premières semaines où ma mère était venue me seconder, je m'occupais toujours seule de Hayden.

À ce stade, j'avais déjà compris que la distraction dont j'avais fait preuve pendant ma grossesse n'était pas due à un changement hormonal. Je savais aussi que ce n'était pas le baby-blues qui me poussait à ne jamais relâcher ma vigilance en présence de Randy, à ne pas le laisser tenir Hayden même s'il en avait manifesté le désir. Je ne cessais de l'imaginer en train de se venger sur le bébé parce que je l'avais contrarié d'une manière ou d'une autre. C'était absurde, complètement ridicule, et pourtant je ne pouvais m'ôter cette idée de la tête.

En réalité, j'avais senti naître une appréhension irrationnelle, irrépressible, la toute première fois où Randy avait pris notre fils dans ses bras, là, dans la salle de travail. Trois semaines plus tard, après le départ de maman, je m'étais aperçue que j'avais peur de mon mari. Il s'était arrangé pour nous éviter le plus possible durant le séjour de ma mère. De son côté, elle ne s'était pas privée de le critiquer : « Pourquoi ne s'intéresse-t-il pas plus à son fils ? Et pourquoi est-ce qu'il a toujours l'air de mauvaise humeur ? On dirait qu'il ne veut même pas toucher son propre enfant ! » Les excuses que je lui donnais pour justifier le comportement de Randy sonnaient de plus en plus faux à mes oreilles.

Maman était partie depuis un jour seulement quand, en émergeant d'une courte sieste, j'avais découvert Randy assis dans la chambre. Il serrait Hayden contre lui en me regardant d'un air furieux qui m'avait glacée. Comme j'avais toujours les paupières lourdes, il ne s'était pas rendu compte que j'avais repris conscience et il avait murmuré à l'oreille de notre fils des paroles auxquelles je n'avais pas prêté attention. Je ne voyais que cette expression sur son visage, plus avide que fière, plus possessive que paternelle. Hayden paraissait si petit, si fragile entre les bras musclés de Randy… J'avais feint de me réveiller, bâillant et m'étirant ostensiblement.

Randy avait aussitôt plaqué un sourire sur ses lèvres ; j'avais fait de même.

3 Le matin du 14 août, il quitta la maison à l'aube, sans même avoir pris sa douche – ce qui ne lui arrivait jamais. Les draps tout entortillés de son côté du lit me révélèrent qu'il avait mal dormi. Il m'annonça qu'il avait des courses à faire, mais il était sorti avant que je puisse lui demander où il allait à une heure aussi matinale. J'avais la tête étrangement cotonneuse et il me fallut du temps pour m'éclaircir les idées. Ce fut seulement après avoir pris ma douche et avalé une deuxième tasse de café que je commençai à m'interroger sur l'attitude inhabituelle de Randy. Je donnai le biberon à Hayden puis l'allongeai dans son berceau. Avant de descendre, je m'assurai que le babyphone se trouvait bien dans ma poche.

Au moment de placer dans le lave-vaisselle le verre d'eau que j'avais récupéré sur ma table de chevet, je me surpris à l'examiner avec attention. Randy me l'avait monté la veille au soir. Comprenant soudain que je cherchais des traces suspectes, je pensai : *Des traces de quoi, hein ? Tu crois vraiment que ton mari essaie de t'empoisonner ? Auquel cas, tu ne penses pas qu'il serait temps de consulter un psy ?*

Randy revint en début d'après-midi, un peu après l'heure du déjeuner. J'avais préparé deux sandwichs au thon et j'allais lui en proposer un quand je remarquai son apparence. Malgré son K-Way bleu marine, il était trempé de la tête aux pieds. Ses bottes couinèrent lorsqu'il me dépassa, sans un mot, pour se diriger vers l'escalier.

« Hé, tu mets de la boue partout ! » protestai-je d'une voix suraiguë. J'avais conscience de me comporter de plus en plus comme une harpie depuis quelques mois, mais c'était ma seule défense face à son indifférence.

Pas de réponse. J'entendis une porte claquer à l'étage et, quelques instants plus tard, la douche couler. Exaspérée, je m'approchai des marches pour évaluer les dégâts. C'était encore pire que je ne l'imaginais : brins d'herbe mouillés, petites flaques boueuses et fragments de terre sombre traçaient un chemin de saletés jusqu'au premier. « Randy, bon sang ! »

En proie à une rage sourde, je montai le rejoindre, ne m'arrêtant que le temps de jeter un coup d'œil dans la nursery – Hayden était réveillé mais silencieux, apparemment fasciné par le mobile accroché au-dessus de son berceau –, avant de suivre les empreintes brunâtres jusqu'à notre chambre. La porte de la salle de bains était fermée, la douche toujours en train de couler. Je savais qu'une fois cette porte ouverte j'aurais droit à des remarques cinglantes, car Randy n'était jamais aussi agressif que lorsqu'on envahissait son « espace personnel », mais la pensée d'avoir à faire le ménage après son passage l'emporta sur ma prudence.

Des nuages de vapeur tourbillonnaient dans la pièce. Randy avait abandonné ses vêtements en tas par terre, et alors qu'il pestait et tempêtait derrière le rideau de douche – « Sors ! J'en ai pour une minute ! » –, je fus frappée par une révélation : ce n'était pas seulement de la terre qui souillait ses habits ; il y avait aussi de larges taches de sang sur son jean et sa chemise. Quand je la ramassai, tous mes reproches s'étranglèrent dans ma gorge. Sur le léger coton bleu ciel se dessinaient des auréoles brun et pourpre étalées par la pluie.

Brusquement, Randy écarta le rideau et attrapa une serviette sur le portant. Je reculai de quelques pas puis, m'apercevant que je tenais toujours la chemise, je la lâchai. La vapeur déferla autour de moi alors que je m'immobilisais sur le seuil. Randy s'essuyait à présent avec vigueur, et je vis sa serviette se teinter peu à peu de rouge. Il avait une longue entaille à la joue droite et une autre au bras gauche. Pressant le tissu contre sa joue, il gronda : « Laisse-moi, Nina. Je te raconterai tout dans une minute si tu me donnes le temps de me sécher, O.K. ? »

À peine étais-je sortie qu'il referma la porte. Je longeai le couloir dans une sorte d'état second, avant de m'immobiliser près du berceau de Hayden. Tout en lui murmurant des paroles apaisantes, je tentai de mettre ma frayeur sur le compte de mon inquiétude pour Randy. J'avais eu peur qu'il ne soit gravement blessé, c'est tout.

« Je me suis bagarré avec un connard chez Home Depot, la jardinerie », lança Randy du couloir. En short et en T-shirt, il pressait une poignée de mouchoirs en papier sur son bras blessé. Je refermai la porte de la nursery en lui indiquant l'escalier. Avant de descendre, il me demanda d'apporter des pansements.

Pendant que j'appliquais sur la plaie du coton et de la gaze, il me raconta que « tous ces branleurs de Home Depot » n'avaient pas réapprovisionné leurs stocks, qu'il ne restait plus que deux sacs de terreau (à l'en croire, il était sorti au lever du jour sans avoir pris sa douche pour aller acheter… du terreau) et qu'un autre client (« une espèce de tapette ») avait voulu les lui prendre. Le ton était rapidement monté entre eux, jusqu'au moment où ils en étaient venus aux mains. « On s'est empoignés en plein milieu du magasin, ajouta Randy en grimaçant lorsque je lui désinfectai la joue. Heureusement que les vendeurs ont menacé d'appeler les flics, parce que sinon je lui aurais filé une sacrée branlée. D'ailleurs, je crois bien que je lui ai cassé le nez. »

Je sortis deux pansements de leur emballage. « Il te faudra peut-être des points de suture. » La balafre sur sa joue était si profonde qu'elle n'arrêtait pas de saigner, j'en avais l'estomac tout retourné. Je finis par lui tendre les sparadraps. « Tiens, mets-les toi-même. Si tu n'arrives pas à te contrôler, tu ferais bien de…

— De quoi ? m'interrompit-il d'un ton cinglant.

— D'aller voir quelqu'un. Un psy, peut-être. »

Poussant un grognement, il alla se camper devant le miroir du vestibule pour appliquer les pansements. « Tu es tellement prévisible, ma pauvre ! cracha-t-il. Un type me cherche des noises, je me défends, et toi tu en déduis automatiquement que tout est ma faute. C'est pas croyable ! »

Je m'efforçai de contrôler les tremblements de ma voix. « On a un enfant, maintenant, Randy. Et si la police débarquait chez nous, hein ? Si les employés de la jardinerie avaient relevé ton numéro d'immatriculation ou t'avaient suivi jusqu'ici ? Si on t'arrêtait pour agression ?

— Mais ce n'est pas moi qui ai commencé !

— Les flics s'en fichent, Randy. Imagine qu'ils t'emmènent au poste et que ça revienne aux oreilles de ton patron ! Pour peu qu'il ait prévu de dégraisser les effectifs, tu lui donnes un prétexte en or. Sans mon salaire, et avec la maison et le bébé, on ne peut pas se permettre que tu sois au chômage. C'est tout ce que j'avais à dire. » J'avais bien conscience de l'absurdité de mon raisonnement, puisque je savais pertinemment qu'il avait inventé cette altercation à la jardinerie.

Mais si je ne parlais plus, je risquais de penser.

Randy me jeta un regard noir avant de prendre une profonde inspiration. « Tu m'emmerdes, Nina. Je sors. »

Il claqua la porte derrière lui. Je m'approchai de la fenêtre de la cuisine, d'où je le regardai se diriger vers la remise. La pluie s'était calmée mais elle tombait encore suffisamment fort pour le tremper pendant qu'il cherchait ses clés. Enfin, il les trouva et déverrouilla le cadenas. Sur un dernier regard en direction de la maison, il disparut à l'intérieur de son refuge.

Quelques minutes plus tard, je remontai dans la nursery. J'y restai peut-être des heures, à bercer Hayden, hantée par le regard de son père.

4 Randy ne rentra qu'à la nuit tombée. Nous nous installâmes sans un mot dans le salon pour manger la pizza que j'avais décongelée. À un certain moment, je lui dis que je voulais regarder les informations de vingt-deux heures pour voir s'il ferait beau le lendemain ; auquel cas, j'emmènerais Hayden au parc le matin, pour lui faire prendre l'air. Aussitôt, Randy répliqua qu'il voulait regarder le match de base-ball alors que jamais jusque-là il n'avait manifesté le moindre intérêt pour ce sport. J'en déduisis qu'il cherchait juste à me contrarier, à me punir après la scène que je lui avais faite un peu plus tôt, quand je nettoyais ses blessures. Incapable de supporter une autre dispute, j'emportai mon assiette à l'étage pour regarder la télévision dans notre chambre.

Le titre principal du journal de la chaîne d'informations locales concernait le meurtre brutal d'une jeune lycéenne de la région, Daphne Snyder. La police n'avait pas communiqué beaucoup de détails, mais je reconnus le parc sur les images ; c'était là que j'avais l'intention d'emmener Hayden le lendemain. Les caméras survolèrent les balançoires, l'aire de jeu des enfants et les bancs près des terrains de softball, pour finalement s'arrêter sur le bâtiment gris hideux où le corps avait été découvert. J'avais moi-même utilisé ces toilettes et je me rappelais encore le carrelage crasseux et les fenêtres tellement sales qu'elles laissaient à peine filtrer la lumière. Quel horrible endroit pour mourir… Sur l'écran de télévision apparut une photo de Daphne prise au printemps précédent, le soir du bal du lycée. C'était une jolie brune à la coiffure apprêtée pour le grand soir. Son visage respirait la douceur et elle arborait un sourire mélancolique, comme si elle avait un funeste pressentiment. Ou peut-être que son petit ami s'était mal conduit avec elle. Personne ne le saurait jamais.

L'oncle de la victime répondit aux questions des journalistes devant la maison des Snyder. Les parents n'étaient pas en état de faire une déclaration, expliqua-t-il. Sa voix se chargea de colère quand quelqu'un lui demanda quelle punition il faudrait infliger au meurtrier s'il était arrêté. «Je préfère ne pas me prononcer, dit-il, parce que je suis croyant, mais Dieu saura juger ce monstre.» Sans transition, la chaîne diffusa les images d'une conférence de presse au poste de police. Quelqu'un voulut savoir si ce meurtre avait un lien avec d'autres. «Nous avons constaté un mode opératoire similaire à celui de plusieurs crimes récents mais je ne peux pas vous en dire plus pour l'instant», déclara le porte-parole des autorités.

Lorsque je détachai mon regard de l'écran, je découvris Randy en train de m'observer du seuil de la chambre, les bras croisés. En me voyant sursauter, il esquissa un sourire indulgent. Il y avait bien longtemps qu'il ne m'avait pas regardée avec une telle gentillesse… Il s'exprima ensuite d'un ton patient : «Alors, il va pleuvoir ou pas ? Parce que je pourrais emmener Hayden au parc, si tu veux. Ça te libérerait.

— Non, je vais m'occuper de lui. Tu sais, tu devrais aller voir un docteur…»

Mais il continua de parler comme s'il ne m'avait pas entendue. Ou peut-être avait-il tellement pris l'habitude de m'ignorer qu'il ne remarquait même plus mes interventions. «Oui, c'est une bonne idée. Comme ça, tu pourras t'accorder une grasse matinée. On reviendra dans l'après-midi, et à ce moment-là, si tu veux, on discutera. Bon, on va se coucher ?»

Peut-être s'endormit-il. Moi pas, du moins au début. Après avoir attendu que sa respiration devienne plus régulière, je me levai pour aller chercher Hayden, pressée de l'installer dans la voiture et de mettre le plus de distance possible entre la maison et nous avant de prévenir la police. Mais au moment où je sortais de la nursery en serrant mon fils contre moi, je me heurtai à Randy. «Je n'arrive pas à dormir, dit-il. Je vais regarder un DVD en bas. Tu viens aussi?»

Je fis non de la tête avant de me réfugier dans notre chambre avec Hayden et de m'asseoir sur le lit en tremblant. Lorsque Randy m'apporta un verre d'eau, puis se campa devant moi sans un mot, je finis par boire. Parce que je ne savais pas quoi faire d'autre. Je ne voyais plus que ses bras épais, les veines noueuses sur le dos de ses mains... Peu après, je sombrai dans un profond sommeil. La dernière chose dont j'eus conscience, ce fut de ne pas avoir la force de résister quand Randy dégagea Hayden de mon étreinte.

XIV

1 Le soleil brillait lorsque j'ouvris les yeux. Nous étions dimanche, le premier jour où la famille de Daphne Snyder allait devoir affronter la réalité de son absence. Je me redressai soudain, le souffle coupé, la tête affreusement lourde. Le flot de lumière qui pénétrait à travers les rideaux me parut aveuglant. Un silence total régnait dans la maison.

« Oh non », murmurai-je en me forçant à me lever. Je dus m'appuyer contre le mur pour ne pas tomber tandis que je longeais le couloir en direction de la nursery. Vide.

En bas, je fus prise d'étourdissements et d'une nausée telle que j'eus à peine le temps d'atteindre l'évier avant de vomir. Je ne savais pas ce que Randy m'avait fait avaler mais c'était plus puissant qu'un sédatif classique. Une fois mes spasmes apaisés, je me sentis mieux, l'esprit plus clair, même si ma vision demeurait brouillée ; autour de moi, tous les objets semblaient briller. Après avoir essuyé mes yeux larmoyants, j'aperçus le mot posé sur la planche à découper, et ce qui servait de presse-papier.

Bonjour, chérie. Suis parti me promener avec Hayden et faire deux ou trois courses. Serai de retour dans l'après-midi. Appelle-moi si tu veux me parler avant. Baisers, Randy.

La clé de sa remise se trouvait sur la feuille.

Je ne l'aurais sans doute pas reconnue si j'avais dû la prendre sur son trousseau, parmi les autres, mais en la voyant ce jour-là je n'eus pas le moindre doute.

Je faillis appeler la police sur-le-champ. J'aurais dû. J'aurais même dû passer ce coup de téléphone la veille, lorsque Randy était rentré trempé et couvert de sang. Dire : « J'ai peut-être des informations concernant la jeune fille tuée près de chez moi… »

D'autant que je n'aurais même pas eu besoin de composer le numéro de police-secours puisque nous connaissions un flic : Todd Cline, qui s'était rendu chez les Renault après l'assassinat de la mère et de la fille, quelques années plus tôt. Il habitait encore notre ancien quartier. Nous avions déménagé mais nous fréquentions toujours la même église – pas très souvent, il fallait bien le reconnaître –, où il nous arrivait de les croiser, sa famille et lui. Todd Cline, petite moustache soignée, torse puissant, voix douce. Todd Cline, nous disant que Trudi et Dominique Renault avaient été mutilées par leur meurtrier… Les Renault. Mon Dieu ! Je n'avais pas eu la possibilité de prévenir quiconque après avoir regardé le journal télévisé la veille au soir ; Randy ne cessait de rôder autour de moi et il serait certainement intervenu s'il m'avait surprise en train de feuilleter frénétiquement l'annuaire à la recherche du numéro des Cline. N'empêche, j'aurais pu résister, j'aurais pu refuser de boire ce verre d'eau, j'aurais pu frapper mon mari avec le premier objet qui me tombait sous la main, installer mon fils dans la voiture et retourner dans l'Oregon…

Sauf que je n'en avais rien fait et qu'il était maintenant trop tard. Je pris la clé, pour la lâcher aussitôt. Je ne sentais pas mes doigts. Sans doute était-ce un effet du… – *Vas-y, dis-le, tu le sais…* – médicament que m'avait fait prendre Randy. Le tintement de la clé tombant sur le plan de travail me parut résonner avec force dans les pièces vides. Je la ramassai, la plaçai dans ma paume et relut le mot de Randy. L'estomac noué, je compris que, pour la première fois depuis longtemps, mon mari essayait de me parler. Qu'il essayait d'avoir une conversation sérieuse avec moi.

2 Le jardin était toujours mouillé après les orages de la veille mais le ciel était dégagé et la pelouse scintillait dans la lumière matinale comme si elle était parsemée de diamants. Les oiseaux rassemblés autour de la mangeoire s'envolèrent à mon approche puis revinrent se poser après mon passage. Il ne me fallut pas plus de vingt pas pour atteindre la remise et je me demandai pourquoi j'avais

toujours eu l'impression d'une telle distance entre les deux univers, celui de Randy et celui que nous partagions. Aujourd'hui, j'allais sans doute obtenir une réponse à cette question.

La structure se présentait comme une cabane de trois mètres sur trois que deux jeunes employés du magasin de bricolage avaient apportée en kit dans une camionnette et montée sur place. C'était un simple assemblage de panneaux de bois dans lequel s'ouvraient deux petites fenêtres occultées de l'intérieur. Pas une seule fois je n'y avais mis les pieds depuis notre emménagement. Je respectais trop l'intimité de Randy, son besoin de solitude ; il me rappelait d'ailleurs souvent à quel point c'était indispensable à sa tranquillité d'esprit. J'insérai la clé dans le cadenas en espérant encore me tromper – peut-être n'était-ce pas celle de la remise, peut-être que Randy avait tout simplement envie de passer du temps avec Hayden, pour une fois –, mais elle tourna sans problème. Je laissai tomber le cadenas dans l'herbe puis appuyai sur la poignée. La porte s'écarta.

Il faisait sombre à l'intérieur. La lumière du jour avait du mal à traverser le papier opaque que Randy avait scotché sur les vitres et je dus tâtonner quelques secondes à la recherche de l'interrupteur. Le plafonnier s'alluma – une simple ampoule nue qui inonda d'une lumière jaunâtre l'espace confiné tout en laissant néanmoins subsister des coins d'ombre. Il régnait à l'intérieur une odeur étrange que je ne parvins pas à identifier tout de suite. Elle me semblait vaguement médicale, ou chimique… Un unique fauteuil à roulettes était immobilisé au milieu du plancher et je le poussai sur le côté pour me permettre de circuler. J'avais laissé la porte grande ouverte derrière moi et je n'arrêtais pas de jeter des coups d'œil vers le jardin en redoutant de voir Randy se précipiter avec un couteau, prêt à me faire regretter de m'être prise pour la femme de Barbe-Bleue.

À première vue, je ne remarquai toutefois rien de troublant. Deux meubles de rangement en bois brut, dotés de poignées de cuivre, étaient disposés chacun contre un mur et un grand placard se dressait au fond de la pièce. Un dessin, ou une reproduction, était punaisé sur l'un des battants mais je ne m'en approchai pas tout de suite. Au lieu de quoi j'ouvris le premier tiroir à gauche et un hoquet de stupeur m'échappa. Il était rempli de boîtes de munitions de différents calibres. J'en pris une au hasard et lus : REMINGTON .357 POINTE CREUSE. Le tiroir suivant renfermait les armes elles-mêmes, six au total, glissées chacune dans un holster de cuir. Je n'aurais pu déterminer le calibre ou la marque ; pour moi, elles avaient toutes l'air pareillement sinistre. Randy m'avait raconté qu'il allait de temps en temps s'entraîner au tir avec des collègues de travail. Jamais, cependant, il n'avait admis posséder une arme à feu. Le troisième tiroir contenait des couteaux, également protégés par des étuis de cuir souple. En proie à une sorte de fascination morbide, j'en sortis quelques-uns. Randy appréciait la variété, manifestement : l'un d'eux était pourvu d'une longue lame crantée ; un autre, d'une lame beaucoup plus courte et incurvée à l'extrémité ; et un troisième, d'une lame crantée d'un côté et lisse de l'autre, tellement aiguisée qu'elle m'entailla légèrement le doigt lorsque je l'effleurai. Je les remis tous à leur place avant de m'intéresser au reste des tiroirs, dans lesquels je trouvai divers outils : une sorte de ventouse ; un instrument métallique indéterminé qui me rappelait ceux des chirurgiens ; du ruban adhésif ; un appareil muni d'un petit écran et d'un logo GPS ; une boîte de gants en latex ; une charlotte ; et plusieurs rouleaux de corde.

La sensation de nausée était revenue. De nouveau, je tournai la tête vers la porte, qui me parut à des kilomètres de distance.

Dans le second meuble de rangement, je découvris des documents insérés dans des pochettes en plastique. J'en examinai un au hasard. Il s'agissait d'un permis de conduire délivré par l'État du Wisconsin et comportant la photo de Randy mais établi au nom d'un certain Gerald Hamby. Il y en avait également un deuxième dans une autre pochette, constatai-je, celui-là délivré par le Delaware et établi au nom de Wilson Hamby. Mes fouilles me révélèrent encore de nombreuses surprises du même ordre : passeports, cartes bancaires, cartes de crédit, qui comportaient tous une identité d'emprunt. Je me demandai brièvement si les cartes bancaires étaient valides, si le compte correspondant était approvisionné. (J'apprendrais pendant le procès qu'il l'était.) Randy avait toujours été économe, aussi avait-il très bien pu dégager de l'argent à placer. Maintenant, je commençais à comprendre pourquoi il ne me laissait jamais mettre le nez dans les comptes du ménage… « C'est un travail d'homme », affirmait-il, et si je jugeais ces propos machos, j'avoue que je n'avais pas trop cherché à le contredire car je ne tenais pas spécialement à gérer nos finances.

Soudain, je vis une chemise sur laquelle figuraient mes initiales. Quand je l'ouvris, d'autres cartes s'en échappèrent. Cette fois, je reconnus mon visage sur un permis du Delaware, sauf que Randy m'avait renommée Debra Hamby. J'examinai rapidement le reste des papiers jusqu'à les avoir tous étalés devant moi.

Au total : cinq cartes d'identité différentes pour lui, trois pour moi. Nous étions soit les Hamby soit les Johnson. Et je me prénommais soit Debra soit Darlene. Je pris une profonde inspiration tandis qu'une voix me soufflait : *Il croit que tu vas marcher dans ses combines. Que tu vas dire amen à tout. Peut-être même pense-t-il que tu te doutais déjà de quelque chose...* Ma première réaction, qui tenait du réflexe de défense, fut la colère. Ce salaud avait l'air de croire que j'allais accepter sa double vie comme s'il n'y avait rien d'extraordinaire à cela, comme s'il s'agissait d'un petit secret comparable à ceux de nos voisins – le goût immodéré de Felicity Conrad pour le Percocet, par exemple, ou la liaison de Dan Youngblood. Tout le monde était au courant, toutes les femmes du quartier en faisaient des gorges chaudes quand les intéressés avaient le dos tourné. De tels écarts paraissaient cependant acceptables ; au fond, c'était un prix à payer bien dérisoire pour préserver une façade de respectabilité.

Mais que Randy ait pu me mépriser à ce point, me considérer comme une épouse docile qui ne demanderait qu'à le suivre aveuglément une fois mise dans la confidence me faisait l'effet d'une gifle en pleine figure. Peut-être s'imaginait-il qu'à force de patience et d'explications, il parviendrait à me convaincre que la situation n'était pas si grave, après tout, pas si dramatique que je ne l'avais envisagé...

Et après tout, qu'avais-je découvert ? Je savais maintenant que mon mari était un fanatique des armes à feu et qu'il dissimulait tout un stock de faux papiers d'identité. Si c'était troublant, il n'y avait cependant pas de quoi se mettre martel en tête.

Je replaçai les documents dans leurs tiroirs respectifs en m'efforçant de les disposer comme je les avais trouvés. Il me restait encore à inspecter ce grand placard au fond de la remise. En m'approchant, je distinguai mieux le dessin scotché sur l'une des portes et je sentis ma gorge se nouer. De toute évidence, il s'agissait d'un croquis exécuté par Randy car il ressemblait beaucoup à celui qu'il avait fait de moi peu après notre rencontre, il y avait une éternité de cela : réalisé au crayon à papier, il se caractérisait par un même tracé rudimentaire, presque grossier, et une même façon d'ombrer certaines zones. Mais ce dessin-là représentait un jeune garçon, dans les quatorze ou quinze ans, affublé d'une coupe au bol qui lui conférait l'aspect artificiel d'un mannequin de cire, et dont les lèvres minces et le front plissé semblaient indiquer qu'il était surpris en pleine réflexion. Il avait également les yeux mi-clos, comme s'il ressassait des pensées qui lui procuraient une joie mauvaise. Dépourvus de couleur, ils ne se distinguaient que par cette expression malveillante. Son visage ne me disait rien, et pourtant il m'était étrangement familier. Parce que je connaissais ce regard : c'était celui que m'avait adressé Randy la veille encore. Oui, ce portrait n'était qu'une projection de lui plus jeune, de sa part obscure. À moins que… Une idée encore plus odieuse me traversa l'esprit : et s'il avait voulu montrer comment il voyait Hayden dans quelques années ? Peut-être était-ce l'image d'un avenir lugubre pour notre fils, piégé dans l'ombre de son père…

Je venais d'écarter les portes du placard quand soudain le monde entier vacilla autour de moi.

3 Une heure plus tard, j'arpentais le jardin en parlant toute seule juste pour entendre le son de ma voix et éviter de perdre la tête. Lorsque Todd Cline émergea de la remise, où il n'était resté que quelques minutes, il déclara : « Je dois demander du renfort et un mandat.

— Non, répliquai-je aussitôt. Vous savez qu'il a emmené Hayden. Vous m'aviez promis… »

Il tenta de sourire, sans succès. Il était manifestement ébranlé. « Je voulais d'abord voir de quoi il retournait. Je vous assure, Nina, il faut agir sans perdre une minute. »

Je me rappelais vaguement le moment où j'étais sortie de la remise après avoir ouvert le placard de Randy. D'abord chancelante, j'avais ensuite couru vers la maison. Je me revoyais feuilleter frénétiquement l'annuaire pour trouver le numéro du policier. Que lui avais-je raconté ? Pour le coup, je n'en gardais aucun souvenir ; je ne me remémorais que mon soulagement en entendant sa voix. Il m'avait expliqué qu'en général toute la famille allait déjeuner au restaurant le dimanche, mais qu'ils étaient restés chez eux ce jour-là parce qu'une des filles avait mal au ventre.

L'attente entre l'instant où j'avais raccroché et l'arrivée de Todd Cline demeurait gravée dans ma mémoire. Ce furent les vingt minutes les plus éprouvantes de toute ma vie.

Il s'accorda quelques instants de réflexion avant d'ajouter : « Je suis obligé d'insister, Nina. On va tout mettre en œuvre pour assurer la sécurité de Hayden mais d'abord on a besoin de localiser Randy. Vous pouvez le joindre pour essayer de lui demander où il est ?

— Oui, bien sûr. Sauf que j'ignore s'il me répondra. Pour autant que je le sache, il est peut-être en train de nous observer…

— J'y ai pensé », admit-il. Il me prit par le coude pour m'entraîner vers la maison. « Écoutez, je dois prévenir mon supérieur pour lui expliquer la situation et organiser l'envoi de renforts. »

J'attendis dans la cuisine, le cœur au bord des lèvres, pendant que Todd Cline appelait le poste de son portable. Quelques minutes plus tard, il revint me demander de téléphoner à Randy. « J'ai besoin de votre autorisation pour tracer la communication. S'il utilise son cellulaire, on devrait pouvoir le localiser. Vous vous sentez capable de lui parler sans trahir ma présence ? C'est crucial, Nina. »

Je n'en étais pas certaine mais il fallait que je sache où était Hayden et mon esprit refusait d'aller plus loin. Je composai le numéro sur le téléphone de la maison et Randy décrocha à la seconde sonnerie. Quand Todd Cline se rapprocha de moi, j'écartai légèrement le combiné pour lui permettre d'entendre.

La voix enjouée de mon mari me laissa supposer qu'il souriait. « Alors, comment se passe ta matinée, Nina ?

— J'ai l'impression d'avoir une bonne gueule de bois. Où êtes-vous, tous les deux ?

— En fait, comme le parc près de la maison grouillait de policiers, j'ai emmené Hayden à celui de Wesley. Tu vois où c'est ? » Il s'exprimait d'un ton calme, badin, comme s'il ne m'avait jamais laissé la clé de sa remise, comme s'il ne retenait pas notre fils en otage.

« Oui, j'y suis allée une ou deux fois. » Je me forçai à avaler pour tenter de chasser la boule dans ma gorge. « Comment va Hayden ?

— Bien, très bien. Il est là, à côté de moi.

— Vous avez quitté le parc, alors ?

— Oui, on est dans la voiture. Tu veux qu'on rentre, Nina ? »

Devant mon hésitation à répondre, Todd Cline m'indiqua son portable et fit tourner son index devant moi pour m'encourager à poursuivre. Alors je me lançai : « Je suis prête à t'écouter, si c'est ce que tu veux.

— Il y a tellement longtemps que j'attends ce moment, bébé… »

Je portai une main à mon front couvert de sueur. « Pourquoi tu ne l'as pas fait avant ? Tu n'avais pas confiance en moi ? »

À l'autre bout de la ligne, le silence se prolongea plus longtemps que je ne l'aurais voulu. Cline me signifia que le délai nécessaire était écoulé. « C'est du sérieux, dit enfin Randy. Je ne suis pas bien sûr que tu comprennes…

— Tout ce que je sais, c'est que je veux que vous rentriez à la maison.

— On sera là dans trois quarts d'heure.

— Pas avant ?

— Ça passera vite. Et, bébé ? Merci. » Il raccrocha.

Je reposai le combiné en tremblant. « Mon Dieu, il va tuer Hayden, hein ? »

Cline me tapota gauchement le bras. « Je ne crois pas, non. Les gars ont réussi à identifier son signal, Randy se trouve à environ une demi-heure d'ici. Ça nous laisse le temps de tout mettre en place. Bon, je vais attendre les autres dehors. J'irai me poster à un endroit où vous pourrez me voir et on vous donnera des consignes avant l'arrivée de Randy. On étudiera ensemble différents scénarios, d'accord ? »

Incapable de parler, je hochai la tête.

Il me toucha de nouveau, cette fois pour me soutenir jusqu'à une chaise. « Vous avez bien fait de m'appeler, Nina. Vous avez peut-être sauvé la vie de quelqu'un.

— Vous êtes entré dans cette remise, dis-je soudain en agrippant sa chemise. Est-ce que… c'est bien ce que je pense, dans la boîte de Petri ou je ne sais quoi ? »

Après une brève pause, il répondit : « Ça y ressemble, en tout cas. Mais c'est difficile à dire dans la mesure où il n'était rattaché à rien… »

Je ne conservais en tête que des flashs. Des images décousues, sans lien. Je me souvenais du dessin de l'adolescent. Des portes du placard que j'ouvrais, pour découvrir un moniteur informatique éteint, dont le clavier était posé sur une étagère coulissante en dessous. L'intérieur des deux battants disparaissait sous les photos en couleur : certaines représentaient des parties isolées d'un visage ou d'un corps – un menton entaillé, des dents ensanglantées, un muscle exposé ; d'autres ressemblaient à des mises en scène, presque à des tableaux, montrant des dépouilles déchiquetées qui gisaient sur des planchers cirés ou parmi des draps trempés. Elles m'avaient rappelé celles incluses dans les ouvrages que j'avais lus pendant ma grossesse, sauf que dans ce cas aucune n'avait été retouchée pour masquer un élément trop choquant. Cette fois, tout était montré clairement : les orbites vides ; les objets insérés à la place des yeux – cailloux lisses, dés tournés de façon à exposer un six, minuscules ressorts et même bulbes de plantes…

En heurtant le fauteuil à roulettes derrière moi, j'avais failli hurler. Instinctivement, j'avais plaqué une main sur ma bouche. Ce geste m'avait toujours paru théâtral dans les films, et pourtant je l'avais fait malgré moi. Dehors, les oiseaux se battaient dans un concert de piaillements furieux comme s'ils voulaient se tailler en pièces. Après avoir repoussé le fauteuil, j'avais titubé jusqu'à la porte. Il fallait que je téléphone, que je prévienne quelqu'un.

Car il n'y avait pas que les photos. À côté de l'ordinateur se trouvait une petite coupelle en verre à moitié remplie d'un liquide laiteux au milieu duquel flottait un globe de la taille d'une balle de ping-pong. Sa surface d'un blanc nacré était parcourue de vaisseaux sanguins éclatés. Je l'avais aussitôt identifié, alors que je n'avais jamais rien vu de pareil avant. Mais l'information s'était imposée à mon esprit avec la force d'une évidence : *C'est un œil humain qui trempe dans ce... cette espèce de conservateur.*

« Il veut qu'on l'arrête, Nina, reprit Todd Cline, toujours près de moi. Tôt ou tard, ces types-là finissent toujours par craquer, parce qu'ils ont besoin d'une reconnaissance publique pour ce qu'ils estiment être des exploits. Un profileur est venu nous en parler il y a quelques années, après le meurtre des Renault. »

Rien à faire, je me refusais toujours à admettre la vérité. « "Ces types-là" ? Bon sang, Todd, combien de fois on s'est retrouvés à la messe tous ensemble ?

— Je suis désolé. Mais maintenant que j'ai vu ce qu'il y avait dans cette remise… Croyez-moi, Randy n'a pas subitement perdu la tête. »

Il avait raison.

Lorsqu'il me laissa dans la cuisine, j'étais paralysée par une certitude : Randy agissait dans l'ombre depuis très très longtemps, peut-être même des années. En tout cas, il ne s'était pas interrompu pendant qu'il était avec moi. Et j'étais hantée par un autre détail que Todd Cline avait mentionné. Parmi les clichés scotchés sur les battants, l'un d'eux, bien visible pour quelqu'un assis devant l'ordinateur, montrait un petit garçon étendu parmi les feuilles mortes qui jonchaient un carré de terre nue. Il avait le visage tourné vers le ciel. Et ce visage privé d'yeux, avec sa bouche ouverte sur un cri silencieux, c'était celui de Tyler Renault.

XV

Cet après-midi-là, Randy se gara dans la descente de garage à exactement quatorze heures cinq. Je l'attendais sur le perron en m'efforçant de dominer ma panique. De mon poste d'observation, je pouvais voir toute l'impasse jusqu'à Maple Avenue, la principale voie d'accès vers la ville, et durant ces quarante-cinq minutes qui m'avaient paru interminables j'avais scruté l'intersection avec la peur au ventre, certaine qu'il ne reviendrait pas. Que j'avais perdu mon fils. Que j'allais devoir affronter seule l'horreur de ce qui allait suivre.

Dans toute la ruelle régnait l'atmosphère paresseuse d'une belle journée d'été : les Johnson étaient installés sur leur terrasse, où Sheila lisait un magazine tandis que Tony bavardait au téléphone ; en face de chez eux, Betsy Morrison surveillait son jeune fils qui jouait dans une piscine gonflable ; Max Flores, torse nu comme pour mieux s'offrir en pâture aux moustiques, poussait sa tondeuse à gazon. Todd Cline avait garé son 4×4 deux maisons plus loin, le long du trottoir. L'insouciance semblait de mise partout sauf dans ma tête, où elle avait prédominé pendant bien trop longtemps.

Todd Cline m'avait demandé de sortir mon Accord du garage et de la laisser en plein milieu de l'allée de façon à empêcher mon mari de rentrer. Randy arrêta sa BMW juste derrière puis coupa le moteur. Je l'entendis serrer le frein à main lorsque je m'avançai vers lui.

Il ouvrit la portière en jetant un coup d'œil interrogateur à ma voiture.

« Je pensais la laver », expliquai-je en hâte. Impossible de maîtriser les tremblements de ma voix.

139

Jusque-là, il m'avait semblé lire sur ses traits une confiance aussi étrange qu'inédite. Mais lorsqu'il croisa mon regard, le sien s'assombrit, comme s'il était déçu par ma réaction. Il demeura néanmoins immobile pendant que j'ouvrais la portière arrière de la BMW. Hayden, attaché dans son siège-auto, agita joyeusement les bras vers moi. Je bataillai avec les sangles sans pouvoir retenir mes larmes.

Quand je me redressai, Randy m'observait toujours, les poings serrés. Devant mon visage défait, il demanda : « Tu croyais vraiment que j'allais lui faire du mal ? »

Sans le quitter des yeux, je reculai vers la maison. L'expression de Randy se durcit brusquement.

Une portière claqua dans la rue. Todd Cline, descendu de son 4 × 4 stationné à une vingtaine de mètres, appela Randy.

Mon mari se retourna et regarda approcher le policier, dont le revolver de service accroché à sa ceinture était bien visible. « Salut, Randy ! Je peux te parler ? »

Incapable de bouger, je murmurai un flot de paroles apaisantes à l'oreille de mon petit garçon qui ne pouvait pas encore les comprendre. Tout irait bien, maman était là, maman allait prendre soin de lui… Je lui embrassai la tête et lui caressai les cheveux. Il dut néanmoins percevoir la tension ambiante car il se mit soudain à gémir et à pleurer.

Au même moment, dans un grand crissement de pneus au croisement avec Maple Avenue, trois voitures de police bifurquèrent dans l'impasse, pratiquement pare-choc contre pare-choc. Betsy Morrison se leva pour mieux voir. Sheila Johnson attrapa son mari par le bras et lui montra les véhicules. Randy me fit de nouveau face. Quand il prit la parole, ce fut d'une voix teintée d'une tendresse telle que je me crus revenue dans son appartement au début de notre relation, lorsque je croyais vivre une belle histoire : « Dommage, Nina, je pensais qu'on pourrait enfin partager quelque chose… »

Il portait un bermuda ample en toile, comme la plupart des hommes de son âge pendant l'été. Un modèle avec de profondes poches partout. Quand sa main droite se porta vers celle de devant, je remarquai soudain la façon dont le tissu était distendu.

« Attention, il a une arme ! » criai-je à l'adresse de Todd Cline.

Celui-ci dégaina aussitôt. De fait, Randy s'était muni du calibre .44 automatique qu'il gardait dans sa voiture, mais le chien accrocha la doublure de sa poche et il n'eut pas le temps de le sortir. Todd Cline ne lui ordonna pas de lâcher son arme ni de lever les mains. Au lieu de quoi, sans hésiter, il tira à deux reprises. La main droite toujours dans sa poche, Randy tressauta violemment, baissa les yeux vers sa chemise déjà rougie puis s'écroula lourdement sur le flanc. Sa respiration s'était faite saccadée, sifflante. Todd Cline s'approcha, lui marcha sur le bras gauche pour l'immobiliser et l'obligea à retirer la main droite de sa poche. Les voitures de police s'étaient arrêtées et des agents se précipitaient maintenant vers nous. « Il y a eu une fusillade, envoyez une ambulance ! » répétait l'un d'eux dans sa radio. Randy, manifestement incapable de parler, se borna à les foudroyer du regard tandis que des bulles rosâtres se formaient sous ses narines et au coin de ses lèvres. Un agent le délesta du calibre .44 avant de s'éloigner rapidement en tenant le revolver par le canon.

Max Flores tondait toujours sa pelouse. Il venait d'atteindre l'extrémité de son terrain et s'apprêtait à faire demi-tour quand sa femme vint le prévenir de ce qui se passait derrière lui. La tondeuse se tut enfin et tous les regards convergèrent vers nous.

Alors seulement, je me rendis compte que je hurlais. L'un des agents me rejoignit et, après m'avoir prise par le bras, me fit rentrer dans la maison. Au bord de la crise de nerfs, je serrais Hayden si fort contre moi que le policier estima nécessaire d'intervenir. « Vous allez l'étouffer », me dit-il doucement en essayant de le dégager de mon étreinte. Je finis par céder et, dans une sorte d'état second, je m'approchai de la fenêtre ouverte. Ils étaient de plus en plus nombreux à affluer dans notre jardin – des policiers en tenue et d'autres hommes en civil que je supposai être des enquêteurs. Bientôt, la foule me cacha Randy. Les derniers arrivants se pressèrent autour de Todd Cline en lui demandant s'il allait bien. J'entendais mon mari tousser faiblement. Une sirène d'ambulance hululait au loin mais j'eus le sentiment que personne ne souhaitait voir les urgentistes arriver à temps pour le sauver. Moi, je ne savais plus ce que je souhaitais.

Ils arrivèrent cependant à temps.

XVI

1 Mon déjeuner avec Duane et Carolyn fut le seul événement notable de ce début de semaine. La dernière mention de mon nom dans les journaux ou à la télévision remontait au dimanche précédent, quand le *News and Observer* avait fait paraître un article relatant les crimes de Randy, son arrestation et son procès, le tout émaillé de commentaires lapidaires de la part de Pritchett. Le procureur qui avait requis la peine de mort contre mon ex-mari six ans plus tôt s'exprimait également pour affirmer que rien, ni à l'époque ni aujourd'hui, ne laissait supposer une quelconque implication de ma part. Le journaliste avait aussi pris contact avec plusieurs proches des victimes de Randy mais aucun n'avait souhaité faire de déclaration, sinon pour dire son désir de ne pas remuer le passé.

Nous en étions tous là. Seul Pritchett semblait piégé dans le cycle infernal de son chagrin sans que personne ne puisse le sauver de ses tourments.

J'avais décidé de ne pas retourner tout de suite chez Data Managers, préférant m'accorder encore quelques jours de ce que je considérais maintenant comme des vacances. Je passais mes journées à la maison, à lire des magazines ou à faire un peu de ménage. Le temps me semblait long sans Hayden et j'attendais avec impatience l'heure d'aller le chercher après sa retenue.

Le mercredi, après un déjeuner tardif, j'entrepris de ranger le rez-de-chaussée. J'avais l'intention de nettoyer le salon et le vestibule avant de partir pour l'école. Lorsque j'éteignis l'aspirateur, je distinguai un son strident au-dehors – celui de plusieurs sirènes qui hurlaient non loin de chez nous. Je me demandai brièvement s'il n'y avait pas eu un accident sur l'autoroute. Puis j'entendis la télévision, que j'avais laissé allumée pendant que je m'activais.

Je crus tout d'abord avoir mal compris.

Mais en m'approchant du poste, je tremblais déjà. Les mots FLASH SPÉCIAL défilaient au bas de l'écran. J'attrapai la télécommande pour monter le son. Au même moment, l'image du présentateur en studio fut remplacée par une scène qui me coupa les jambes : une vue panoramique de l'école de Cary prise d'un hélicoptère tournant au-dessus du site. Je reconnus sur-le-champ les bâtiments, le gymnase et le terrain de sport. Plusieurs véhicules de police, gyrophares en action, étaient garés à droite des locaux administratifs.

« Nous attendons encore des informations, disait la voix off, mais pour ceux d'entre vous qui viennent de nous rejoindre, sachez que la police confirme la mort d'au moins une personne dans l'enceinte de l'école primaire de Cary, un établissement situé près de Davis Drive. Les autorités nous ont précisé que presque tous les écoliers étaient déjà rentrés chez eux au moment du drame, et elles demandent aux parents d'arrêter d'appeler sauf si leurs enfants se trouvent encore sur les lieux en raison d'activités extrascolaires. Les lignes téléphoniques de l'établissement sont saturées et les familles sont invitées à téléphoner au poste de police de Cary pour davantage de… »

Je n'écoutais plus. Le temps d'attraper mon sac sur la console, et je me précipitai vers le garage. La porte automatique se soulevait et je cherchais les clés de ma voiture quand le glapissement suraigu d'une sirène retentit derrière moi. Je reçus un tel coup au cœur que je manquai défaillir. Lorsque je me retournai, je vis une voiture de police se garer le long du trottoir.

« Madame Leigh Wren ? demanda le chauffeur après avoir baissé sa vitre.

— Mon fils va bien ? »

Sans répondre, l'homme descendit puis vint m'ouvrir la portière arrière. « Mon collègue et moi avons reçu l'ordre de vous conduire à l'école, dit-il. Nous n'avons pas d'autres informations à vous communiquer pour le moment mais je suis sûr que vous aurez toutes les explications requises une fois sur place. »

2   Je leur répétai d'aller plus vite. Ils actionnèrent la sirène et le gyrophare pour se frayer plus rapidement un passage parmi les voitures, et il nous fallut à peine plus de quatre minutes pour arriver à l'école mais elles me parurent durer une éternité. Au moins, elles me donnèrent le temps d'appeler les Rowe sur mon portable. Je le fis avant tout pour éviter de penser et de ressasser une conclusion par trop évidente.

Duane décrocha à la seconde sonnerie. « Bonjour, Leigh. Figurez-vous qu'on n'est pas loin de chez vous, j'ai dû aller faire une déposition à Raleigh dans une affaire de divorce. Alors, vous avez réfléchi à la possibilité d'intimider Pritchett ?

— Non, je… Écoutez, il y a eu un problème dans l'école de Hayden. Ils en ont parlé à la télé et la police est venue me chercher mais on ne m'a rien dit de plus. » J'étais surprise par mon calme. J'aurais dû hurler, sangloter, au lieu de quoi je n'éprouvais qu'une étrange torpeur, comme si mon cœur battait au ralenti.

Lorsque Duane me demanda les indications pour me rejoindre, je lui répondis d'un ton monocorde. Je l'entendis claquer des doigts à l'autre bout de la ligne, sans doute à l'intention de Carolyn. « Dépêchez-vous », dis-je encore avant de raccrocher.

Quelques instants plus tard, nous pénétrions dans l'enceinte de l'école, où se trouvait déjà une foule de véhicules. À peine le chauffeur s'était-il arrêté que j'essayai en vain d'actionner la poignée ; j'avais oublié que j'étais assise à l'arrière d'une voiture de police. Son collègue dut venir m'ouvrir. Je repérai aussitôt Thomas Beasley au milieu d'un groupe d'hommes rassemblés à l'entrée du bâtiment de gauche, celui des salles de classe. Je me précipitai vers lui, ignorant les appels des deux agents sur mes talons qui m'enjoignaient de les attendre.

Le directeur adjoint commença par me dire qu'il était désolé. De toutes mes forces, je luttai pour refouler ma panique. « Où est Hayden ? » demandai-je. En voyant les visages autour de moi, je compris que j'avais posé la question d'une voix suraiguë. J'entendis quelqu'un lancer « Voilà la mère ! », et je crus que mes nerfs allaient lâcher. Un homme en chemise, cravate et pantalon de toile me prit fermement par le bras pour me guider vers le bâtiment administratif.

« Je vous en prie, répondez-moi… », implorai-je.

L'homme qui me soutenait se présenta comme l'inspecteur Justin Matthews. La quarantaine, allure sportive, mèches grisonnantes. En d'autres circonstances, j'aurais pu le trouver séduisant.

« Autant être franc avec vous, madame Wren : votre fils a été enlevé. Un individu non identifié a fait irruption dans la classe où se trouvait Hayden et il a tué l'enseignante qui le surveillait avant de l'emmener avec lui. Nous ignorons encore si cet homme avait des complices mais nous avons une description de son véhicule. Deux témoins ont vu un monospace beige ou blanc cassé quitter précipitamment les lieux. Vous savez à qui il pourrait appartenir ? »

La moitié des parents d'élèves conduisaient des véhicules semblables. En proie à la plus grande confusion, je fis non de la tête.

« Nous avons déjà déclenché l'alerte Amber, en nous servant d'une photo prise dans l'annuaire de l'école, reprit-il. J'aurais néanmoins besoin de quelques précisions. Vous voulez bien nous aider ?

— Enlevé… », répétai-je. Je n'arrivais plus à respirer. Mes jambes se dérobèrent brusquement et je perdis connaissance.

Quand je repris conscience, on me faisait asseoir sur une chaise dans le bureau de Thomas Beasley – cette même chaise que Rachel Dutton m'avait cédée durant notre entrevue la semaine précédente. L'inspecteur Matthews et un autre policier me tenaient chacun par un bras. « Elle est en état de choc, dit Matthews. Allez chercher un urgentiste.

— Non, ça va », murmurai-je. Mon regard survola l'ordinateur sur la table, les plantes vertes, la photo de Thomas Beasley en entraîneur de foot. Puis je fixai l'inspecteur droit dans les yeux pour lui montrer que j'avais recouvré toute ma lucidité. « Qu'est-ce que vous voulez savoir ? Comment puis-je vous aider ? »

Il sortit un stylo et un calepin. Deux agents nous avaient rejoints, dont l'un avait apporté une radio, sans doute pour communiquer à ses collègues les renseignements que j'allais leur fournir. Je connaissais le fonctionnement de l'alerte Amber, qui permettait de diffuser à la télévision et sur les panneaux d'autoroute des messages qui donnaient le signalement de l'enfant, une description de sa tenue et toute autre information susceptible de l'identifier.

Je ne parvenais pas à croire que tout ceci était réel.

Quels vêtements portait Hayden ce jour-là ? Un jean, des tennis, un sweat-shirt brun clair. Avait-il des cicatrices, des marques de naissance ? Je parlai de la légère décoloration de la peau sous son menton, à l'endroit où il s'était cogné contre le rebord de la piscine un an plus tôt. Aussitôt, j'eus la vision d'un légiste soulevant de ses doigts gantés la tête de mon fils mort pour essayer de voir la cicatrice et, prise d'un brusque haut-le-cœur, je vomis dans la poubelle. Quand mes spasmes se furent calmés, je cherchai dans mon sac mes pastilles à la menthe. J'en croquai une, puis tendis la boîte aux hommes présents, qui déclinèrent l'offre en me regardant d'un air soucieux. « Ça va mieux, leur affirmai-je. Allez-y, continuez. Je veux vous aider. »

Matthews me demanda ensuite si je soupçonnais quelqu'un de nous vouloir du mal, à mon fils, à moi ou à l'enseignante chargée de le surveiller le soir.

À cet instant seulement, je pris conscience de ce qu'ils avaient dit sur elle. « Mlle Dutton ? Oh non... »

L'inspecteur ordonna aux autres policiers de quitter la pièce. Après avoir refermé la porte derrière eux, il déclara : « J'ai suivi votre histoire dans les journaux. Un de nos hommes s'occupe de joindre les autorités californiennes pour essayer de savoir si votre ex-mari aurait des informations à nous communiquer. Vous croyez qu'il pourrait être mêlé à cette affaire ?

— Je... Peut-être. Sauf qu'il est dans le couloir de la mort, alors je ne vois pas comment...

— Et Charles Pritchett ? »

Je haussai les épaules. « Il me hait, c'est vrai. N'empêche, il faudrait qu'il soit complètement dingue pour en arriver là ! Je veux dire, tout le monde est au courant de ses tentatives pour me nuire... Il serait le premier soupçonné, c'est évident. Il m'est apparu comme quelqu'un de puéril et de vindicatif, d'accord, mais je ne l'imagine pas capable de s'en prendre à mon petit garçon.

— Puéril et vindicatif sont deux termes qui s'appliquent à la majorité des criminels auxquels j'ai affaire, répliqua Matthews. Surtout les plus violents. Vous avez une idée de l'endroit où se trouve M. Pritchett ?

— Les détectives privés que j'ai engagés – enfin, qu'il a engagés – le savent sûrement… » Je racontai à Matthews ma rencontre avec les Rowe. Au même moment, j'entendis la voix de Duane résonner dans le couloir, et je demandai à l'inspecteur de le laisser entrer.

Carolyn avait accompagné son mari. Alors qu'elle me serrait dans ses bras, Matthews déclara à l'intention du couple : « D'après Mme Wren, vous avez localisé Charles Pritchett. Nous pourrions appeler tous les hôtels mais je me suis dit que ce serait plus rapide de…

— Il loge au Hilton de Raleigh », l'interrompit Carolyn. Elle retira de son sac plusieurs feuilles de papier qu'elle lui tendit. « C'est un récapitulatif de tout ce qu'on a découvert sur lui. Je l'ai rédigé en venant, vous aurez peut-être du mal à me relire… Selon vous, il serait derrière tout ça ? »

Matthews inclina la tête vers moi. « Mme Wren ne semble pas de cet avis, en tout cas. Je crois pourtant qu'une petite discussion avec lui s'impose. » Il prit le temps de jauger Duane. « Alors comme ça, vous avez travaillé pour la maison, monsieur Rowe ?

— Quatorze ans. Six à Baltimore, huit en Virginie.

— Et vous pensez que Pritchett aurait pu monter le coup ?

— Est-ce qu'il me serait possible d'avoir des détails sur ce qui s'est passé ? Ça m'aiderait sûrement, compte tenu des recherches qu'on a faites ces dernières semaines… »

L'inspecteur ne semblait cependant pas prêt à lui répondre. « Mme Wren m'a expliqué que vous aviez été payés par Pritchett pour la retrouver, et qu'ensuite, lorsqu'il a entamé sa campagne contre elle, vous lui aviez demandé un rendez-vous pour lui proposer vos services. Par pure bonté d'âme, bien sûr…

— Je reconnais que ça peut paraître bizarre, admit Duane. Si vous voulez vérifier nos références, je vais vous indiquer quelques numéros de téléphone. »

En comprenant que l'inspecteur se méfiait des Rowe, je faillis lui crier : *Mais ils sont de notre côté ! Qu'est-ce que vous foutez, bon sang ? Arrêtez de poser toutes ces questions idiotes et occupez-vous plutôt de chercher mon fils ! Mon Dieu, il doit avoir tellement peur...* Je fus soudain saisie de tremblements irrépressibles et Carolyn pria les deux hommes de nous laisser seules quelques instants.

Ma crise de panique cessa plus vite que je ne l'aurais cru. Carolyn me tendit une boîte de mouchoirs en papier trouvée dans l'un des tiroirs du bureau, mais je ne pleurais pas. « S'il lui arrive quelque chose, je n'y survivrai pas », murmurai-je.

Elle ne tenta même pas de me réconforter. « Je sais », dit-elle simplement.

Matthews revint peu après, accompagné de Duane, de Thomas Beasley et d'un policier en uniforme. « Si vous souhaitez que les Rowe collaborent à l'enquête, madame Wren, je n'y vois pas d'objection. Leur expérience pourra nous être utile.

— Oui, je tiens à ce qu'ils soient là.

— O.K. Monsieur Beasley, vous voulez bien nous repasser l'enregistrement de la caméra de surveillance ? Mme Wren sera peut-être en mesure d'identifier l'agresseur...

— Parce que vous avez un enregistrement ? » Je tombais des nues. « La semaine dernière, quand je suis venue voir M. Beasley, c'est tout juste si je n'ai pas été fouillée à l'entrée ! Comment cet homme a-t-il pu pénétrer dans l'école ? »

Le directeur adjoint semblait au bord du malaise. « Les agents de sécurité ne sont présents qu'aux heures de classe », expliqua-t-il.

Tout le monde demeura impassible. Mais moi, je savais ce qu'impliquaient ces propos : il n'y avait pas si longtemps, c'était des enfants que nous avions peur. De nos propres enfants.

3   Thomas Beasley pianota quelques instants sur le clavier de son ordinateur puis tourna l'écran vers nous. Consciente soudain

de plaquer une main sur ma bouche, je me forçai à l'ôter. Carolyn demanda alors à l'inspecteur Matthews si j'étais obligée de regarder la bande.

« C'est à elle de décider, répondit-il. La caméra a filmé seulement le couloir. On ne voit rien de ce qui s'est passé dans la classe. »

Carolyn me prit cependant la main. Nous étions tous rassemblés autour du bureau du directeur adjoint, les yeux fixés sur le moniteur. Thomas Beasley et l'inspecteur savaient déjà à quoi s'attendre, mais sur le reste de notre groupe planait un malaise palpable à la perspective de visionner le déroulement du drame. Résurgence d'images insoutenables de Columbine, de scènes de panique dans le métro, d'accidents d'avion... Je ne pus m'empêcher de penser que ce document finirait probablement par se retrouver sur Internet, que des malades le téléchargeraient pour pouvoir le regarder encore et encore, non pas dans l'intention d'aider à retrouver mon fils mais pour se procurer un plaisir malsain. Le malheur des uns fait la jouissance des autres...

La caméra était située au-dessus de la porte qui donnait sur l'extérieur. Elle montrait une vue panoramique et légèrement déformée des rangées de casiers qui bordaient le couloir, interrompues de temps à autre par les portes des salles de classe. Thomas Beasley indiqua du doigt la troisième salle sur la gauche, où Rachel Dutton surveillait Hayden, le seul écolier sous sa garde.

Une silhouette s'engagea dans le couloir à 15:29 d'après l'horloge numérique figurant dans l'angle inférieur gauche de l'écran. Je tentai d'imaginer cette personne retenant mon enfant en ce moment même, mais mon cerveau refusait d'élaborer un tel scénario.

Ou d'admettre que cette hypothèse était envisageable seulement si Hayden était encore vivant.

L'intrus, très maigre, flottait dans son jean. Il portait un sweatshirt dont il avait ramené la capuche sur sa tête. Nous le vîmes progresser de porte en porte jusqu'à la troisième sur la gauche. Il était chargé d'un sac à dos qui paraissait pesant. Matthews voulut savoir si je remarquais quelque chose de familier à son sujet mais ce ne fut pas le cas.

L'homme poussa tout doucement le battant puis se faufila à l'intérieur et le referma derrière lui. La caméra montra alors le couloir vide. Thomas Beasley cliqua sur sa souris afin de faire défiler les images en accéléré.

« Il est resté combien de temps là-dedans ? interrogea Duane.

— Seize minutes, l'informa Matthews. Ce qui n'est pas tellement long, si on considère ce qu'il a fait à l'institutrice.

— Et qu'est-ce qu'il lui a fait ? » demandai-je.

Aussitôt, toutes les têtes se détournèrent. En voyant les regards échangés entre Matthews et ses hommes, je compris que personne ne tenait à me répondre. Le menton calé dans sa main, le directeur adjoint contemplait fixement son ordinateur. Duane fit remarquer que je finirais de toute façon par l'apprendre dans les journaux. L'inspecteur hésita néanmoins encore un instant avant de dire : « On pense qu'il a égorgé Mme Dutton peu après s'être introduit dans la classe. Il y avait d'autres enseignants dans le bâtiment à ce moment-là, et comme personne ne l'a entendue crier, on peut supposer qu'il a agi rapidement. Ensuite, il a procédé à une mutilation semblable à celle que votre mari infligeait à ses victimes.

— Mon ex-mari », m'entendis-je rectifier machinalement. Je me sentais sur le point de vomir à nouveau au souvenir des yeux de Rachel Dutton, emplis de compassion et de patience ce jour-là, quand elle nous avait offert son soutien à la suite de l'altercation avec Ashton Hale.

« Il lui a arraché les... ? » Je ne pus me résoudre à prononcer les mots.

« Oui, dit Matthews.

— Et il a mis quelque chose à leur place ? »

Il grimaça. « Des graines, apparemment. La police scientifique va devoir les identifier.

— Oh, Seigneur... », lâcha Thomas Beasley. Il se tourna vers moi. « Je suis sûr qu'elle a essayé de défendre Hayden.

— Je n'en doute pas », murmurai-je.

Des larmes brillaient dans ses yeux, qu'il essuya d'un geste rageur en s'excusant. Nous lui assurâmes tous que nous comprenions. Il se ressaisit, reporta son attention sur l'écran et cliqua sur sa souris pour faire défiler les images en temps réel. À 15:45, la porte de la classe s'ouvrit. La même silhouette reparut, les yeux dissimulés par de grosses lunettes noires, la bouche et le nez par un bandana. Seule une fine bande de peau était visible sous la capuche. Du sang avait éclaboussé le devant et les manches de son sweat-shirt. Ses mains, aussi. Il avait apparemment du mal à maîtriser Hayden, qui se contorsionnait. J'eus conscience de la pression de la main de Carolyn sur la mienne, sans toutefois éprouver le moindre réconfort. Mon fils avait les poignets et les chevilles entravés par du ruban adhésif, dont un morceau servait aussi à le bâillonner. Ce qui ne l'empêchait pas de se débattre, d'essayer de s'échapper... Il parvint brièvement à se dégager et tomba par terre. Je tressaillis comme si j'avais moi-même heurté le sol. L'assassin le releva en l'attrapant par l'arrière de son sweat-shirt, puis parut proférer des menaces derrière son bandana. Hayden se calma considérablement.

Le tueur vint ensuite se placer sous la caméra, vers laquelle il leva la tête comme pour adresser un message à quiconque regarderait l'enregistrement. Comme pour me parler personnellement.

À côté de lui, Hayden avait les yeux tellement exorbités qu'ils semblaient lui manger le visage au-dessus de ce bout d'adhésif. Une frayeur indicible s'y lisait. Lui aussi regarda la caméra, avant d'être entraîné hors du champ, vers la sortie.

« Je sais que c'est une épreuve pénible pour vous, madame Wren, déclara l'inspecteur Matthews. Mais avez-vous remarqué quelque chose de familier chez le suspect ? Est-ce que vous le reconnaissez ? »

La gorge trop nouée pour parler, je me contentai de secouer la tête. J'allais cependant devoir me reprendre si je ne voulais pas que l'on me juge incapable d'affronter la situation, de tout mettre en œuvre pour aider mon fils. Une prière tournait déjà en boucle dans ma tête, une sorte de mantra obsédant : *Je vous en prie, épargnez-le, mon Dieu, je ferai tout ce que vous voulez mais rendez-le-moi sain et sauf...*

Les familles des victimes de Randy avaient sûrement prié elles aussi. Chacune d'entre elles avait dû demander la même chose que moi.

J'annonçai à l'inspecteur Matthews que je souhaitais revoir l'enregistrement.

XVII

1   Nous trouvâmes Charles Pritchett au restaurant du Hilton, où il dînait en compagnie d'un homme d'une cinquantaine d'années et d'une femme plus jeune. La plupart des autres tables étaient vides dans la grande salle aux lumières tamisées et un serveur balayait près de l'entrée des cuisines. Je précédai Duane et Carolyn, eux-mêmes suivis par l'inspecteur Matthews et deux policiers en uniforme. Pritchett se leva à mon approche.

« J'ai appris la nouvelle aux informations », dit-il tout de go en indiquant le poste de télévision installé au-dessus du bar. Son regard survola les deux agents avant de s'arrêter sur Matthews. « Je n'ai rien à voir là-dedans, affirma-t-il. Jamais je n'ai voulu ça. »

Son attitude fermée, hostile, me révéla deux choses : il n'était vraisemblablement pas responsable de l'enlèvement de Hayden et il était toujours convaincu que j'avais joué un rôle dans la mort de sa fille.

« Vous avez menacé mon fils le premier soir où vous vous en êtes pris à moi », lançai-je, la voix tremblant de rage. Duane m'attrapa par le bras comme s'il craignait que je ne me jette sur l'ennemi.

L'inspecteur Matthews me conseilla de me maîtriser si je souhaitais assister à l'entrevue. Il demanda ensuite à Pritchett des précisions sur son emploi du temps cet après-midi-là. Alors seulement, celui-ci indiqua les deux personnes assises à sa table. Elles se levèrent de concert et, un sourire poli aux lèvres, serrèrent la main du policier. « Elliot Talese et Denise Sanders, les présenta Pritchett. Ils travaillent tous les deux pour ma société et ils sont venus me consulter sur l'opportunité d'une nouvelle campagne de publicité. Nous avons participé à des téléconférences presque toute la journée.

— Vous avez vendu votre entreprise, non ? fit remarquer Duane.

— Je suis toujours au conseil d'administration », rétorqua Pritchett. Il examina Duane d'un air intrigué puis hocha la tête en le reconnaissant. « J'ai entendu dire que votre femme et vous donniez un coup de main à Mme Mosley. Bien sûr, pour vous, il n'y a pas de conflit d'intérêts… » Il le gratifia d'un regard méprisant avant de se tourner de nouveau vers Matthews. « Écoutez, je ne savais même pas que M. Talese et Mlle Sanders seraient là aujourd'hui. Ça s'est décidé à la dernière minute et je n'ai été averti de leur arrivée qu'hier. Vous pouvez vérifier auprès de la direction de l'entreprise. »

Ses deux collaborateurs semblaient tout prêts à lui apporter leur soutien. Matthews les envoya à une autre table pour que ses hommes puissent prendre leur déposition et annonça ensuite à Pritchett son intention d'examiner le relevé de ses appels téléphoniques depuis qu'il était en ville.

« Pas de problème, déclara l'intéressé. Je demanderai à la réception de vous fournir la liste de tous les coups de fil donnés depuis ma chambre. » Il s'adressait toujours à Matthews mais il me jetait de temps à autre un coup d'œil furieux. « Jamais je ne pourrais faire de mal à un enfant, reprit-il. Surtout après ce qui est arrivé à ma fille. » Et d'ajouter, comme s'il ne pouvait s'en empêcher : « Au moins, vous savez maintenant ce qu'on ressent…

— Ah, bravo ! s'exclama Duane. Vous la prépariez depuis longtemps, celle-là ?

— J'y pense depuis neuf ans que ma fille a été massacrée, oui, répondit Pritchett du tac au tac. Ce qui ne veut pas dire que j'avais prévu de me venger sur le fils de Mme Mosley.

— En attendant, vous les avez mis tous les deux en danger avec vos sales manœuvres, intervint Carolyn d'un ton cinglant. À cause de vous, la photo de Leigh est passée partout, à la télé et dans les journaux.

— Auquel cas, je suis sûr que vous êtes prête à assumer votre part de responsabilité dans ce dénouement, madame Rowe », répliqua Pritchett.

L'inspecteur Matthews me demanda si je préférais patienter dans le hall.

« Non, ça va », lui assurai-je.

Duane retira de sa poche un chèque, qu'il déchira ostensiblement avant de laisser tomber les morceaux dans l'assiette de Pritchett, parmi les miettes de pain à l'ail et le restant des pâtes. « La voilà, notre part de responsabilité. C'est la somme que vous nous avez versée pour retrouver Leigh. Quand vous avez commencé à tout déballer dans les médias, j'ai su que je ne voulais pas prendre part à vos manœuvres. Et si vous m'avez rendu complice du rapt d'un enfant, ou pire encore… » En voyant le regard sévère de Matthews, il baissa d'un ton : « Quoi que vous fassiez, ça ne vous ramènera pas votre fille.

— Tout comme vos discours moralisateurs ne lui ramèneront pas son fils, rétorqua Pritchett. Si vous voulez discuter de vos honoraires, adressez-vous à McClellan Associates. Ce sont eux qui vous ont engagés, pas moi. Mais je suppose que je ne vous apprends rien. »

Matthews, qui entre-temps s'était assis à table, retira de sa poche une feuille de papier – l'article de journal placé sur mon pare-brise le soir où Pritchett m'avait accostée au supermarché, et qui relatait le meurtre d'une jeune fille dans le Tennessee. Carolyn l'avait remis au policier en même temps que d'autres documents avant notre départ de l'école. Matthews le montra à Pritchett en lui demandant pourquoi il me l'avait donné.

« Cet article m'a été envoyé anonymement quelques semaines avant que je ne découvre où se cachait Mme Mosley », expliqua-t-il. Il n'arrêtait pas d'employer mon nom de femme mariée, comme s'il voulait me provoquer, mais j'étais résolue à ne pas réagir. « À mon avis, elle a voulu me le faire parvenir pour m'intimider, parce que les enquêteurs chargés de la localiser… » Il s'interrompit le temps de foudroyer du regard les Rowe. « … l'avaient avertie que son identité ne pourrait pas rester secrète encore bien longtemps. »

Je ne savais pas si je devais rire ou pleurer. « Vous continuez à me croire complice de Randy, c'est ça ? De toute façon, je n'ai aucun moyen de vous convaincre du contraire. »

155

Pritchett demeura quelques instants silencieux avant d'embrayer de nouveau sur ses anciennes accusations. « Pourquoi tous ces faux papiers à votre nom, hein ? Ceux qu'on a découverts dans la remise où il conservait ses trophées. Et votre ADN…

— Parce que Randy est malade, monsieur Pritchett ! m'écriai-je, au désespoir. Il est complètement fou. Il a bien failli me faire perdre la tête et apparemment il a réussi à vous faire perdre la vôtre. Peut-être que je mérite de payer pour ce qui est arrivé à Carrie, mais mon petit garçon n'y est pour rien, lui. Alors, je vous en prie, si vous avez des informations susceptibles de nous aider à le retrouver, dites-le-nous. Je vous en supplie… »

Il ne me regardait cependant plus. Matthews intervint pour lui demander de passer au poste dans la soirée pour faire une déposition.

« D'accord, donnez-moi juste le temps de prévenir mon avocat », déclara Pritchett.

Ma colère reflua quand je le vis croiser les bras en feignant de m'ignorer. Lorsqu'il parvint enfin à arrêter un serveur pour lui commander un verre de whisky, il avait l'air d'un homme brisé.

2 De retour chez moi, je m'attardai dans le couloir devant la chambre de Hayden ; je me sentais incapable d'en franchir le seuil. L'inspecteur Matthews avait affecté des hommes à la surveillance de la maison et deux techniciens étaient venus placer un espion dans mon téléphone. J'avais signé des formulaires les autorisant à enregistrer les appels entrants sur ma ligne fixe et sur mon portable. Carolyn s'était accordé quelques minutes pour aller se rafraîchir et poser son sac dans la chambre d'amis avant de se mettre au travail. Je l'entendais au rez-de-chaussée pianoter sur son ordinateur pour réserver des billets d'avion. Duane était rentré chez eux chercher quelques affaires ; il prendrait un vol dans la soirée si c'était possible. Je leur avais dit que je ne savais pas comment je pourrais les dédommager mais ils avaient balayé d'un geste cette préoccupation. J'avais l'étrange sentiment d'être la spectatrice d'événements qui n'auraient de conséquences que pour moi.

La première étape du voyage de Duane serait Detroit, où habitait Lane Dockery. Il avait demandé à Jeanine, la sœur de l'écrivain, de chercher dans les affaires de Lane toutes les notes qui pourraient avoir un rapport avec nous. Il prévoyait de rester seulement quelques heures là-bas avant d'aller rendre visite à mon ex-mari en prison.

« Les autorités pénitentiaires ont interrogé Randy, dit soudain Carolyn derrière moi. Apparemment, il est accablé par la nouvelle. » En me voyant sursauter, elle me posa une main sur le bras. « Désolée, je ne voulais pas vous faire peur. Je suis montée tout doucement, au cas où vous seriez endormie. »

Quand je grimaçai, elle déclara que je serais bien obligée de me reposer à un moment ou à un autre. Mais j'entendais toujours le téléviseur en bas ; le journal de vingt-deux heures avait ouvert sur le drame survenu à l'école et continuait à en parler, répétant encore et encore la description du monospace que des témoins avaient vu quitter les lieux à l'heure du crime. CNN avait également repris l'information et allait en principe la diffuser dans tout le Sud-Est, accompagnée par les bandeaux de l'alerte Amber qui défileraient sous les images des sitcoms, des débats et des matchs de basket. Je me demandai si les téléspectateurs allaient les ignorer, comme je le faisais moi-même.

« Si ce n'est pas Pritchett, alors c'est Randy, affirmai-je. Je ne sais pas comment, je ne sais pas non plus qui il a pu recruter pour enlever Hayden, mais je sais que c'est lui. J'ai repensé à ces lettres dont vous a parlé le directeur de San Quentin. Peut-être que Randy n'avait pas l'intention de s'en prendre seulement à Pritchett et à Dockery…

— Je serais assez d'accord, approuva Carolyn. On va enquêter sur tous ses correspondants depuis qu'il a été incarcéré. Et la boîte postale à laquelle il envoyait son courrier sera mise sous surveillance. Si on pouvait aussi trouver un lien avec l'article que Pritchett a laissé sur votre pare-brise, celui qu'il prétend avoir reçu anonymement… Matthews nous a dit que les techniciens de la police scientifique n'avaient rien pu en tirer. Mais il est tout à fait probable que le meurtrier de cette fille dans le Tennessee soit aussi le ravisseur de votre fils. Je me suis renseignée auprès des autorités de Memphis ;

elles m'ont confirmé que la victime avait subi la même mutilation que Rachel Dutton.

— Celle que Randy infligeait à toutes ses victimes… Il a un imitateur, c'est évident, murmurai-je en secouant la tête. Un complice pour achever son œuvre. Bon sang, je conçois qu'il puisse vouloir se venger de moi, mais pourquoi s'attaquer à Hayden ?

— N'essayez même pas de comprendre. Il est malade, vous l'avez dit vous-même. Écoutez, la police est sur le coup, les autorités de San Quentin aussi. Il va falloir obtenir des mandats, mettre en place toute une logistique… Si je vous dis ça, c'est pour vous expliquer que ça va prendre du temps. »

Je jetai un coup d'œil à la chambre de mon fils toujours plongée dans la pénombre. Si je décidais de dormir ce soir, ce serait là, sur son petit matelas, sous le poster des Backyardigans et le certificat de fin de CP que j'avais fait encadrer et accroché l'année précédente malgré les efforts de Hayden pour me convaincre que ce n'était pas grand-chose. Je songeai soudain à la malheureuse Rachel Dutton. Était-elle mariée ? Avait-elle un petit ami ? Une petite amie ? J'ignorais tout d'elle, jusqu'à son âge.

« En tout cas, je saisis mieux le message de Pritchett, murmurai-je.

— Comment ça ?

— Quand il a dit tout à l'heure : "Au moins, vous savez maintenant ce qu'on ressent." Il avait raison. Durant tout ce temps, j'ai souffert parce que Randy m'avait abusée et parce que, dans une certaine mesure, je m'étais laissé abuser. Et du coup, j'ai cru que je pouvais comprendre la douleur des familles, la partager. Sauf que c'étaient des conneries, Carolyn. Rien que des conneries. »

Elle parut sur le point de répliquer mais je ne lui en laissai pas la possibilité. « Non, je vous assure. J'avais une part de responsabilité, et pendant toutes les années où j'ai souffert de ma culpabilité, j'ai oublié l'essentiel. Pritchett voulait parler de ce qu'on éprouve quand on n'a pas la moindre responsabilité, quand on subit les événements sans pouvoir rien faire. C'est bien pire, parce qu'on n'a aucun contrôle sur la situation. Je suis totalement impuissante. Voilà ce que Pritchett et les autres familles ont dû endurer.

— Est-ce que ce genre de raisonnement vous apporte quelque chose ? Est-ce qu'il va nous aider à retrouver Hayden ?

— Aucune idée.

— Non, et vous le savez. Alors arrêtez d'y penser et concentrez-vous plutôt sur du concret. Si vous n'arrivez pas à dormir, venez donc m'aider à éplucher le compte rendu du procès de Randy. J'en ai demandé une copie lorsqu'on a commencé à enquêter sur les manœuvres de Pritchett pour se débarrasser de lui en prison. On dénichera peut-être des éléments utiles dans le dossier… »

Je la suivis comme une somnambule, puis me plongeai dans ma lecture, sans toutefois parvenir à donner un sens aux mots.

Car en même temps que je parcourais le texte, j'avais conscience du compte à rebours dans ma tête. De ces précieuses minutes qui s'égrenaient tandis que les policiers s'employaient à faire signer des mandats et à organiser les opérations.

XVIII

« Je ne pourrais pas vraiment vous expliquer comment je les choisissais. Ça ne se réduisait pas seulement à un contact visuel, même si c'était important. Je parlerais plutôt d'une sorte de réaction instinctive, un peu comme quand on croise le regard de quelqu'un au milieu d'une pièce et qu'il se produit aussitôt un phénomène d'attirance immédiate, sauf qu'en l'occurrence j'étais le seul à le ressentir. Pour autant que je le sache, bien sûr... Je les repérais toujours au milieu de la foule parce que ces personnes-là semblaient soudain se détacher des autres. Comme si elles étaient marquées ou entourées d'un halo. »

La voix de Randy résonnait distinctement dans la salle d'audience silencieuse. Ses avocats commis d'office avaient décidé de plaider la folie et spécifié qu'il ne témoignerait pas. Il avait cependant fourni à la police des aveux complets et détaillés pendant qu'il était à l'hôpital où il se remettait des blessures infligées par Todd Cline. Le diagnostic initial des médecins ne lui avait pas laissé beaucoup d'espoir : il avait la rate gravement endommagée et un poumon touché. Alors Randy avait eu peur de mourir sans avoir eu le temps de dévoiler ses exploits. Lorsque ses avocats avaient voulu faire déclarer cette confession irrecevable, il leur avait demandé de s'abstenir. Il savait que c'était son heure de gloire. Et si sa voix enregistrée sur cassette rendait un son éraillé, s'il devait souvent s'interrompre pour boire ou s'éclaircir la gorge, ses paroles étaient cependant parfaitement audibles.

Les représentants de l'accusation diffusaient des extraits de son récit depuis le début du procès, et le jour où je devais témoigner ils avaient choisi ce passage. Le volume était poussé au maximum et la voix de Randy se répercutait sur les murs jaunes de la salle n° 3, où officiait la juge Rita Oliver, une femme corpulente aux cheveux gris anthracite et aux yeux bleus perçants. Elle exerçait son autorité avec une poigne de fer : les quelques fois où les proches des victimes avaient laissé éclater leur émotion, elle les avait fait escorter à l'extérieur ; les questions trop orientées de la part de la défense comme de l'accusation se voyaient aussitôt fustigées ; elle avait intimé le silence à Randy en plusieurs occasions et même lui paraissait la considérer avec respect. Anthony Turnbull, le procureur, un bel homme d'une soixantaine d'années qui se distinguait par ses nœuds papillons et ses manières directes, quoique légèrement efféminées, m'avait avertie que je risquais d'être choquée par ce que j'allais entendre sur les bandes, tout comme le seraient certainement les jurés, les journalistes et les familles présentes ; c'était le but recherché. Les hommes et les femmes du jury écoutaient avec attention, la tête inclinée vers les enceintes placées près du banc de l'accusation. De ma place dans le box des témoins, je ne pouvais rien faire sinon contempler mes mains pendant que la cassette continuait de défiler.

La seule fois où je croisai le regard de Randy, son regard farouche me fit penser à celui d'un animal affamé. L'un de ses défenseurs, un individu nerveux aux cheveux bouclés et à la bedaine proéminente nommé Allan Beyer, était passé à la maison la semaine précédente pour lui prendre un costume. Ma première idée avait été de brûler ou de jeter tous les vêtements de mon mari, mais les avocats m'avaient conseillé de les garder car ils pouvaient encore être réquisitionnés par les enquêteurs pour y chercher d'éventuels autres indices. Maman et moi avions donc tout entreposé dans le garage.

Même en chemise impeccable et cravate, Randy faisait négligé ; il s'était laissé pousser les cheveux et arborait une courte barbe qui lui donnait l'air plus agressif.

« Quand j'avais repéré mes cibles, reprit sa voix diffusée par le magnétophone, quand j'avais fait l'expérience de cette étincelle initiale, c'était parti. Je les suivais en prenant soin de rester à bonne distance, j'observais leur façon de marcher, de s'habiller, de se comporter avec les autres. Vous savez, pour voir si elles se montraient polies, si elles laissaient un pourboire aux serveurs… On peut en apprendre beaucoup sur quelqu'un rien qu'en le regardant, sans jamais lui adresser la parole. Si c'était une femme, et c'était souvent le cas, je mémorisais sa coiffure, le modèle de ses chaussures… J'essayais aussi de deviner ses mensurations, des trucs comme ça…

— Et si la personne montait en voiture ? demanda l'officier de police présent pendant l'enregistrement.

— J'étais toujours préparé à cette éventualité. Je veux dire, vous devez bien comprendre que ces repérages avaient souvent lieu dans un bar ou un restaurant, parfois aussi à l'aéroport. La plupart du temps, je sentais arriver le moment où ma cible allait partir et je n'avais plus qu'à la filer. En général, je disposais d'une voiture louée au nom de ma société puisque j'étais en déplacement professionnel. Sauf dans certains cas, comme celui des Renault…

— Et Daphne Snyder. Elle aussi était d'El Ray », souligna le policier.

Une longue pause s'ensuivit. « Ouais, elle était différente, déclara enfin Randy avec, me sembla-t-il, une pointe de mélancolie. C'est elle qui m'a fait tomber. Ses parents doivent être rudement fiers ! »

Officiellement, Randy était jugé pour les crimes qu'il avait commis en Californie et les parents de Daphne Snyder se trouvaient dans la salle. Je les avais reconnus pour avoir vu leur photo dans les journaux et je ne fus pas la seule à tourner la tête vers eux. Plusieurs journalistes les dévisageaient ouvertement. M. Snyder avait les yeux fixés sur l'arrière du crâne de Randy comme s'il pouvait le faire exploser par sa seule volonté. Mme Snyder, qui semblait ne pas avoir dormi au cours des cinq mois écoulés depuis le meurtre de leur enfant, se leva soudain de son siège en bout de rangée et sortit de la salle sans un regard en arrière. Un instant plus tard, son mari lui emboîta le pas.

« Mais j'opérais essentiellement dans des villes éloignées, reprit Randy. Ce qui explique pourquoi vous avez mis si longtemps à me coincer. La majorité des serial killers œuvrent près de leur domicile, à une ou deux heures de route maximum, comme vous le savez sûrement. Dites, j'ai lu dans le journal que vous aviez fait venir un profileur du FBI. Je vais le rencontrer bientôt ?

— Oui, si vous continuez à vous montrer coopératif», répondit son interlocuteur.

Randy éclata de rire, prenant manifestement plaisir à ce qu'il considérait comme un jeu. « Franchement, j'ai hâte de lui parler. Je suis impatient de connaître ses impressions. Mais pour en revenir à ce que je disais, je voyageais pas mal pour mon travail et j'étais presque sûr qu'il serait impossible de remonter la piste d'un meurtrier qui choisissait ses cibles de façon totalement aléatoire. De nombreux criminels ont une obsession particulière qui finit par les trahir – leurs victimes se ressemblent physiquement, par exemple, ou sont toutes des prostituées… Moi, je visais toujours des personnes différentes, sans rien de commun. Il me suffisait de les voir, de ressentir cette force d'attraction envers elles pour savoir que ce seraient les prochaines. À partir de là, je les traquais. J'y consacrais mes soirées, après les réunions et les conférences, quand tous les autres gars allaient se saouler au bar de l'hôtel ou se mettaient en tête de chercher un service d'hôtesses.

» Je partais en reconnaissance dans le quartier où elles vivaient, j'essayais d'y prendre mes repères. Aujourd'hui, on trouve toutes sortes d'itinéraires sur Internet mais je me servais surtout de cartes routières. » Des indications pour se rendre au domicile de certaines de ses victimes les plus récentes avaient été retrouvées dans l'ordinateur portable qu'il utilisait pour son travail, de même que dans le PC de la remise. Celui-ci avait également révélé son goût pour divers sites Web malsains, certains consacrés aux opérations chirurgicales ou aux autopsies, d'autres aux pratiques sadomasochistes. « J'observais la maison pour connaître les habitudes de la famille, je notais leurs allées et venues, jusqu'à quelle heure ils veillaient le soir… Ensuite, je me constituais ma réserve d'outils – tous les trucs qu'on ne peut pas emporter dans l'avion. C'est très facile de se procurer des couteaux, de l'adhésif ou de la corde ; il suffit d'aller dans n'importe quel magasin de bricolage. Comme je ne les achetais jamais au même endroit, vos collègues n'ont jamais pu exploiter les factures. Après, il y avait toujours une mare ou un étang où je pouvais balancer tout mon matériel une fois que je l'avais utilisé.

» Et donc, le dernier ou l'avant-dernier soir de mon séjour, j'entrais en scène… Comme un artiste qui donne un concert ou une représentation. Je voulais que chaque occasion soit spéciale, qu'elle se distingue par de légères variations. Quand tout était fini, je retournais à mon hôtel prendre une douche. Quelques heures plus tard, j'étais dans l'avion qui me ramenait chez moi, auprès de ma chère et tendre, et personne ne se doutait de rien.

— Sauf que votre mode opératoire ne changeait pas, lui rappela le policier. L'ablation des yeux et leur remplacement par des objets. Les différents services de police des États concernés savaient qu'ils avaient affaire à un tueur en série. Tôt ou tard, ils auraient fini par s'apercevoir qu'un même individu s'était rendu dans tous les endroits où avaient eu lieu les meurtres.

— Ça, c'est vous qui le dites, répliqua Randy d'un ton suffisant. En attendant, ce "tôt ou tard" est resté purement hypothétique et vos différents services de police n'ont pas pris la peine de comparer leurs notes. Vous ne m'auriez jamais arrêté si ma femme ne m'avait pas dénoncé. »

J'avais les paumes moites. Je voulus les essuyer sur mon fauteuil mais le revêtement en cuir ne fit rien pour arranger les choses et en fin de compte je dus les frotter sur ma jupe. Turnbull et son équipe m'avaient conseillée sur mon apparence ; je portais un tailleur bleu marine strict assorti d'un chemisier blanc. « Il faut offrir l'image de la douleur sans pour autant susciter la pitié », m'avaient-ils dit.

« Donc, ces gens qui semblaient… » Un bruit de pages que l'on tournait, amplifié par le haut-parleur du magnétophone, s'éleva dans la salle d'audience. « …"entourés d'un halo", pour reprendre votre expression. Ils vivaient toujours dans des banlieues résidentielles ?

— Pas tous, non, répondit Randy. Pas Carrie Pritchett. Elle habitait un appartement, ce qui ne m'a pas facilité la tâche, parce qu'un voisin aurait pu me surprendre au moment où je forçais la porte… »

Un gémissement monta de l'assistance. Je vis au troisième rang un homme au visage convulsé par la douleur que je reconnus pour l'avoir aperçu à plusieurs reprises aux informations télévisées. C'était le père de Carrie Pritchett, qui avait fait fortune à Hollywood comme traiteur spécialisé dans l'organisation de grandes fêtes. Quand la juge Oliver lui adressa un froncement de sourcils réprobateur, il plaqua une main sur sa bouche, mais d'autres sanglots lui échappèrent avant qu'il ne parvienne à se contrôler. Il dut sentir mon regard car il leva brusquement la tête et me fixa droit dans les yeux. Je baissai les miens, incapable de supporter son expression tourmentée, d'imaginer la douleur que Randy lui avait infligée.

Anthony Turnbull se leva et pressa le bouton « Pause ». Il affectait un air grave, et il s'adressa à moi par mon nom de femme mariée, alors que le divorce avait déjà été prononcé ; sans doute voulait-il ainsi sensibiliser les jurés à mon sentiment de trahison. « Madame Mosley, vous avez entendu ce qu'a dit votre mari au sujet de ses retours de voyage. Quand il revenait de ces déplacements durant lesquels nous savons maintenant qu'il avait commis des meurtres, vous paraissait-il accablé ou désorienté ?

— Non.

— Avez-vous remarqué qu'il était étrangement stressé ou bouleversé ?

— Pas que je m'en souvienne, non. »

Il se pencha vers le jury. « Et pourtant, la défense voudrait vous faire croire que M. Mosley est un malade, un homme perturbé au point de ne plus distinguer le bien du mal. Je vous le demande, mesdames et messieurs : comment un individu qui a planifié ses crimes jusque dans les moindres détails, en prenant soin de recenser les différents accès aux maisons de ses victimes et de prévoir des itinéraires de fuite, pourrait-il être jugé irresponsable ? Nous affirmons aujourd'hui, en nous appuyant sur le témoignage de Mme Mosley, que M. Mosley ne souffre d'aucune déficience mentale, que c'est au contraire un homme parfaitement lucide. Seul un esprit froid et calculateur, un être d'une intelligence au-dessus de la moyenne, pouvait mettre en œuvre des projets aussi monstrueux puis adapter son comportement de façon à offrir une façade si lisse, si impénétrable que même sa propre femme, qui pourtant partageait sa vie au quotidien, ne s'est jamais doutée de rien. »

Je repensai aux blessures de Randy, à ses piètres excuses. Je me remémorai tous les cadeaux qu'il m'offrait dans les premiers temps de notre relation, le collier en or, les CD qu'il m'enregistrait lui-même et les week-ends qu'il organisait. Le dessin qu'il m'avait donné lors de notre troisième rendez-vous, ce portrait inachevé de moi… Même alors, il essayait de me manipuler. Je songeai à la façon dont il criait parfois dans son sommeil la nuit. Et à toutes ces heures où il m'avait écoutée patiemment, comme si j'étais la personne la plus importante du monde.

Turnbull croisa les bras. « Nous avons en effet établi au cours de ces derniers jours que M. Mosley avait abusé tout son entourage. Nous avons entendu ses collègues affirmer qu'ils n'avaient jamais eu le moindre soupçon. Nous avons également appris qu'il s'était inventé de toutes pièces une histoire personnelle. Il prétendait avoir vécu dans des orphelinats et des foyers d'accueil, avoir été maltraité par des membres du personnel ou par les familles chez qui il était placé. Or nous avons eu la confirmation que si sa mère se montrait parfois violente et si son père biologique avait quitté le domicile conjugal quand l'accusé avait trois ans, il n'avait cependant pas été confié à l'État avant l'âge de quatorze ans. Il n'a vécu qu'avec une seule famille d'accueil – des personnes qui, d'après tous les témoignages recueillis, l'ont bien traité jusqu'à leur disparition tragique dans l'incendie de leur maison quand l'accusé avait dix-sept ans.

— Objection ! intervint Allan Beyer, le principal représentant de la défense. Cette insinuation est déplacée. Non seulement M. Mosley n'est pas jugé aujourd'hui pour la mort de ses parents adoptifs mais aucun service de police n'a jamais laissé entendre que ce n'était peut-être pas un accident.

— Accordée. Monsieur Turnbull, veuillez vous en tenir aux charges qui pèsent aujourd'hui sur M. Mosley. » La juge Oliver, figure impressionnante dans sa robe noire, se tourna vers le jury. « Je vous demande d'ignorer la remarque de l'accusation en ce qui concerne la mort des parents adoptifs de M. Mosley. »

Turnbull fronça les sourcils. De toute évidence, il aurait aimé continuer dans cette voie, au lieu de quoi il finit par se rasseoir et appuya de nouveau sur la touche « Play » du magnétophone. Après tout, devait-il estimer, autant laisser la parole à Randy.

Celui-ci décrivit ensuite en détail les meurtres de Keith et Leslie Hughes, découverts poignardés et défigurés dans leur maison de San Bernardino en janvier 1999. « Ils dormaient, et Keith ne s'est même pas réveillé quand je lui ai passé les menottes en plastique. Je dirais que ça m'a pris quoi ? oh, environ trois heures. D'abord, j'ai attendu qu'ils se vident de leur sang. C'est avec eux que j'ai utilisé les guirlandes de Noël, je crois ? »

Le policier répondit que oui, Randy avait inséré de petites ampoules multicolores dans le crâne de ses victimes après leur avoir arraché les yeux. L'adjointe de Turnbull, une jolie brune d'une quarantaine d'années nommée Gladys Meisenheimer, fit circuler des photos de la scène de crime pendant que la bande continuait à défiler.

Je me rappelai avoir constaté qu'une guirlande de Noël manquait dans le carton des décorations cette année-là. Randy était tellement excité par la perspective de son prochain déplacement que nous avions passé le nouvel an chez nous pour qu'il puisse se reposer. En croisant son regard, je vis qu'il s'en souvenait lui aussi. « Je t'aime », articula-t-il en silence.

Ce procès n'était qu'une mascarade et presque tout le monde dans la salle d'audience le savait. À ce stade, il ne faisait aucun doute que Randy serait condamné à l'injection létale mais la loi lui donnait l'occasion de rester sous le feu des projecteurs encore un moment. Il pouvait ainsi se délecter de l'attention générale, de l'expression atterrée des jurés, des sanglots étouffés des proches de ses victimes. Malgré tout ce que j'avais découvert sur lui, jamais jusque-là je n'avais pris la véritable mesure de son sadisme.

Turnbull arrêta le magnétophone après la description du meurtre des Hughes puis s'approcha du box des témoins. « Écoutez, Nina, commença-t-il d'une voix douce. Je n'ignore pas que certaines personnes ont suggéré que vous aviez joué un rôle dans cette histoire ou du moins que vous aviez cherché à couvrir les agissements de votre mari. Alors je dois vous le demander : avez-vous jamais eu la moindre raison de croire qu'il pouvait se livrer à des actes aussi abominables ? Avez-vous remarqué des signes quelconques qui auraient pu vous laisser supposer que vous partagiez la vie d'un monstre ? »

J'avais longuement réfléchi à ma réponse. Je m'éclaircis la gorge puis déclarai : « Aucun. C'est vrai, j'ai imaginé qu'il avait peut-être une liaison, parce qu'il paraissait parfois très distant, mais j'ai fini par me dire que tous les hommes ont ce genre d'attitude quand ils sont en couple. D'autant qu'il ne s'absentait jamais, sauf pour son travail. Sinon, il disposait d'une pièce dans la cave, et ensuite de la remise de notre seconde maison, où je ne mettais jamais les pieds.

— D'accord. Une dernière question, Nina, et un simple oui ou non suffira. Avant ce week-end où il est rentré couvert du sang de Daphne Snyder, aviez-vous déjà envisagé qu'il puisse être un tueur en série ? »

Jamais il ne me fut plus facile de mentir.

XIX

1 Carolyn me réveilla à dix heures. Je n'en revenais pas d'avoir réussi à dormir ; la dernière fois que j'avais regardé ma montre, il était quatre heures du matin.

« Est-ce qu'il est mort ? demandai-je aussitôt.

— Non, mais Duane est au téléphone ; il aimerait que vous écoutiez son compte rendu. Jeanine Dockery est allée le chercher à l'aéroport et ils travaillent ensemble depuis déjà un bon moment. »

Toujours vêtue des habits de la veille, je pris juste le temps de me rincer la bouche avant de rejoindre Carolyn au rez-de-chaussée. Elle avait délaissé le salon pour s'installer dans la cuisine afin de se rapprocher de la cafetière. Je clignai des yeux, éblouie par la lumière du soleil qui filtrait à travers les stores, tandis que Carolyn activait le haut-parleur du téléphone. « Chéri ? Elle est là.

— Bonjour, Leigh, dit Duane. Vous tenez le coup ? » Malgré ses efforts pour adopter un ton enjoué, sa voix me parut traînante. Sans doute avait-il encore moins dormi que moi.

« Vous avez découvert quelque chose ?

— Eh bien, Jeanine avait déjà trié et organisé les notes de son frère par ordre chronologique. Ce qu'on peut dire à ce stade, c'est que M. Dockery préparait effectivement un autre livre sur Randy. Manifestement, le projet lui tenait à cœur depuis des années, et il a rassemblé de nombreuses coupures de presse relatives aux différents recours en appel engagés par Randy. Il avait l'intention de vous interviewer car, je cite : "Sans le témoignage de sa femme, ce ne sera qu'un REP sordide de plus, et le marché en est saturé." »

— Un REP, c'est un récit d'enquête policière », intervint une femme à l'autre bout de la ligne. Elle avait une voix à la fois éraillée et bourrue, comme une fumeuse invétérée qui aurait enduré un sermon de trop sur ses mauvaises habitudes.

« C'était Jeanine, précisa Duane.

— Merci pour votre aide, dis-je.

— Tâchez de retrouver mon frère. »

Duane lui promit que nous ferions de notre mieux. « Donc, reprit-il à notre intention, Lane voulait absolument obtenir la version de Leigh. Mais il n'a pas réussi à la localiser.

— Parce qu'il n'a pas pensé à nous engager ! », lança Carolyn avant de s'interrompre brusquement, les joues empourprées. Je savais ce qu'elle pensait : s'ils n'avaient pas mené à bien la mission confiée par Pritchett, mon fils n'aurait sans doute pas été enlevé. « Excusez-moi, dit-elle en me posant une main sur le bras.

— Alors il est allé voir Randy, poursuivit Duane. Apparemment, ils ont eu au moins un entretien dont j'ai trouvé la trace dans l'agenda de Lane et qui m'a été confirmé par les autorités pénitentiaires. Oh, à propos, Randy a refusé ma demande de visite. Il dit qu'il veut vous parler, Leigh.

— Vous croyez qu'il connaît le ravisseur de Hayden ?

— Je l'ignore. Il nie toujours toute implication. Peut-être qu'il est derrière ce rapt et qu'il prétend ne rien savoir juste pour vous torturer. Ou alors, il n'est réellement pas au courant mais il veut vous obliger à lui téléphoner, histoire de se repaître de la souffrance dans votre voix. Compte tenu de son profil, je dirais que tout est possible. La seule chose dont je suis à peu près certain, c'est qu'il ne nous aidera pas à récupérer Hayden.

— Il y a peut-être tout de même une chance pour qu'il accepte de collaborer si je lui parle », dis-je. Cette perspective ne semblait pas réjouir Carolyn mais je m'en fichais. Peu m'importait que Randy veuille se défouler sur moi ; du moment qu'il me donnait des indices susceptibles de nous conduire jusqu'à mon fils, j'estimais que ce n'était pas cher payé.

« Carolyn ? lança Duane. Tu as le numéro de téléphone de la prison, je crois. Bon, tu n'auras qu'à appeler le directeur quand nous aurons fini. Mais d'abord, écoutez-moi toutes les deux, parce que nous avons peut-être découvert une autre piste digne d'intérêt. Dans les notes qu'il a prises après sa visite à San Quentin, Lane raconte que Randy lui a conseillé de chercher un certain Carson Beckman. Ce nom vous dit quelque chose ? »

Déjà, Carolyn pianotait sur son ordinateur pour obtenir des informations. De mon côté, je n'eus pas besoin de fouiller ma mémoire. « C'est le seul survivant des attaques de Randy.

— En vérité, il y en a eu deux, précisa Duane. Après l'arrestation de votre ex-mari, quand sa photo a été diffusée partout dans les médias, une dénommée Patricia Lineberger l'a formellement identifié comme étant l'homme qui l'avait agressée quinze ans plus tôt. À l'époque, il n'avait encore tué personne et le profileur du FBI qui l'a interrogé plus tard a parlé d'une première tentative avortée. Randy a essayé de forcer cette femme à monter dans sa voiture alors qu'elle sortait d'un bar proche de l'endroit où il vivait avec sa famille d'accueil. Elle est parvenue à lui échapper et elle est tout de suite allée porter plainte. Pour Carson Beckman, c'est différent. Randy a tué les trois autres membres de sa famille un peu moins d'un an avant que Leigh ne le dénonce. Carson, qui avait quatorze ans à l'époque, a été épargné parce qu'il s'était caché dans la chambre d'amis.

— Je me souviens de son témoignage, murmurai-je. C'était effrayant. La défense l'avait convoqué l'une des rares fois où j'étais moi-même au tribunal. Pauvre gosse…

— Malheureusement, j'ai bien l'impression que les choses ne se sont guère arrangées pour lui par la suite, déclara Duane. Votre ex-mari a suggéré à Lane Dockery de rencontrer Carson parce que… Attendez, je vais vous citer la phrase dans ses notes : "RRM se sentait uni à lui par un lien spécial, celui d'une jeunesse gâchée. À l'entendre, CB paraissait important pour lui." Lane pensait que les deux hommes, la victime et l'assassin, ont été en contact après la condamnation de Randy. »

Il me sembla que mon cœur manquait un battement. « CB ? Ce n'étaient pas les initiales qui figuraient dans les lettres dont vous a parlé le directeur de San Quentin ? »

Carolyn me dévisagea un instant avant de répondre : « Oui. CB Taylor.

— Où est Carson, aujourd'hui ? demandai-je.

— Difficile à dire, déclara Duane. Après l'assassinat de la famille, son oncle du côté de son père est devenu son tuteur légal. Lane avait noté dans son agenda un rendez-vous avec lui un peu avant sa disparition.

— Deux semaines, jour pour jour, confirma Jeanine en arrière-fond.

— J'ai essayé plusieurs fois d'appeler l'oncle ce matin mais personne n'a décroché, nous informa Duane. J'ai laissé un message. Ah, au fait, j'ai également passé un coup de fil à l'inspecteur Matthews avant de vous téléphoner.

— Je ne comprends pas, murmurai-je, abasourdie. Pourquoi l'une des victimes de Randy... Pourquoi accepterait-elle ne serait-ce que de lui parler ?

— Aucune idée, déclara Duane. Bon, écoutez, ce n'est pas la peine que j'aille en Californie si Randy refuse de me voir. En attendant, il se trouve que l'oncle et la tante de Carson Beckman n'habitent pas très loin de Chicago, et Mme Dockery a proposé de m'y emmener cet après-midi. »

La voix éraillée de Jeanine s'éleva de nouveau : « J'ai moi-même essayé de les interroger il y a quelques jours mais ils n'ont pas voulu me répondre. J'imagine qu'ils se montreront plus coopératifs quand ils apprendront ce qui est arrivé à votre fils. »

Carolyn conclut la conversation en leur disant de ne pas perdre davantage de temps et de se mettre en route le plus vite possible.

2 L'après-midi fut particulièrement éprouvant. La police m'avait demandé de ne pas quitter la maison, au cas où le ravisseur de Hayden tenterait de me joindre. L'inspecteur Matthews nous appela peu après notre conversation avec Duane pour nous recommander de ne pas trop fonder d'espoir sur la piste de Carson Beckman. « Même si le jeune Beckman est impliqué dans cet enlèvement, personne ne sait où il est. On a l'adresse de l'appartement qu'il occupait jusqu'en novembre dernier mais la régie nous a dit qu'il avait été expulsé. En outre, la seule photo dont on dispose date de huit ans. C'était encore un adolescent à l'époque ; depuis, il a dû beau-

coup changer. Duane va essayer d'obtenir un cliché plus récent auprès de l'oncle. Auquel cas, il me le faxera. »

Nous ne reçûmes aucun autre coup de téléphone, ni aucun message sur mon ordinateur ou celui de Carolyn. J'avais bien essayé de manger quelque chose mais je n'avais réussi à avaler qu'une moitié de sandwich. J'étais hantée par le regard de Hayden au moment où il passait sous la caméra de surveillance dans le couloir de l'école, par la peur et l'impuissance qui s'y lisaient. Cela faisait maintenant presque vingt-quatre heures qu'il avait été kidnappé par le meurtrier de Rachel Dutton. Un homme qui, tout comme Randy, arrachait les yeux de ses victimes.

Carolyn s'efforça de me changer les idées. Au début, elle me parla surtout de la pluie et du beau temps, mais devant mon mutisme elle opta pour une autre tactique et échafauda différents scénarios. Carson était peut-être le ravisseur, peut-être n'était-il qu'une malheureuse victime lui aussi, toujours anéantie par la mort brutale de sa famille, ou peut-être même était-il mort… Je l'écoutai distraitement en regardant par la fenêtre. Une voiture de police stationnait en face de la maison, et à intervalles réguliers les agents venaient frapper à la porte pour nous demander si nous avions du nouveau. J'étais alors partagée entre le désir de les inviter à entrer pour se réchauffer et l'envie de m'en prendre à eux parce qu'ils ne faisaient rien pour retrouver Hayden. Au lieu de se démener, ils étaient là dans leur véhicule, à attendre pendant que j'essayais de ne pas devenir folle…

J'espérais néanmoins que leurs collègues obtiendraient des résultats, qu'à force de montrer la photo de Hayden ils tomberaient sur un témoin qui l'avait vu. Ou que quelqu'un reconnaîtrait le monospace et avertirait les autorités. Qui sait si un agent de la circulation particulièrement chanceux n'allait pas arrêter le véhicule et nous téléphoner pour nous annoncer que mon fils était sauvé ?

Quelqu'un reconnut bel et bien le monospace. La police le découvrit, abandonné à moins de cinq cents mètres de l'école de Hayden, dans un parking souterrain. Les caméras de surveillance dans le quartier l'avaient filmé vingt minutes seulement après l'agression de la veille. Le visage du conducteur n'était cependant visible sur aucun des plans. L'inspecteur Matthews nous appela pour nous annoncer la nouvelle quelques instants seulement avant que Channel 41 ne diffuse un flash spécial à ce sujet.

« Il avait sans doute un autre véhicule garé dans les environs. On a commencé à interroger les habitants du quartier mais ça n'a rien donné jusque-là. » Il semblait fatigué, abattu. « Vous avez parlé à votre ex-mari ?

— Pas encore. J'appelle San Quentin tout de suite. »

XX

À l'instant où Carson Beckman prit place dans le box des témoins pendant le procès de Randy, je compris que je m'étais trompée au sujet du dessin punaisé sur la porte du placard, dans la remise au fond du jardin. Ce n'était pas le portrait de Hayden adolescent ni de Randy plus jeune ; non, c'était celui de ce jeune garçon aux lèvres minces et au regard éteint. Je reconnaissais même les fins cheveux coupés au bol, que je découvrais aujourd'hui châtains. Randy l'avait représenté tout comme il m'avait représentée des années plus tôt, et il me sembla que ce point commun établissait un lien dérangeant entre nous.

Sachant ce qui lui était arrivé, tous les membres de l'assistance s'attendaient à le voir se comporter comme un enfant apeuré. Or il venait d'avoir seize ans et sa silhouette dégingandée, voûtée, évoquait plutôt celle d'un adulte. Vêtu d'un costume et d'une chemise trop petits pour lui, il répondit d'une voix morne aux questions des avocats de la défense. C'était saisissant, cette absence d'inflexions et d'émotion dans sa voix tandis qu'il racontait comment Randy avait assassiné ses proches.

« Ce soir-là, à quel moment avez-vous compris qu'il se passait quelque chose d'anormal ? » demanda Allan Beyer. Ce dernier était resté assis au banc de la défense, aussi Carson apercevait-il également Randy chaque fois qu'il tournait la tête vers lui. Installée dans la galerie, je me demandai si au moment de mon témoignage j'avais paru également réticente à croiser le regard de l'accusé. La plupart du temps, Carson contemplait fixement un point au-dessus des portes de la salle.

Allan Beyer était le plus jeune des défenseurs de Randy et aussi celui qui faisait apparemment la meilleure impression sur le jury. Son aîné, Gavin Plummer, était un individu chauve à l'air sévère, porté aux discours interminables et aux figures de rhétorique qui suscitaient des soupirs agacés dans la salle et avaient plus d'une fois arraché une remarque méprisante à la juge. Ce jour-là, Beyer menait l'interrogatoire. Il attendit encore quelques instants avant de répéter sa question.

Carson, qui se balançait légèrement sur son siège, parut presque sur le point de sourire, et je le supposai bourré de médicaments. Pour ma part, j'avalais Xanax sur Xanax depuis l'arrestation de Randy. « Quand Dana m'a réveillé, répondit-il enfin.

— Que vous a-t-elle dit ?

— Qu'il y avait quelqu'un dans la maison.

— Comment le savait-elle ?

— Elle avait entendu maman crier, juste une fois. Avant qu'il la bâillonne, j'imagine.

— Qui, "il" ?

— M. Mosley. »

J'étais restée dans la salle d'audience après avoir enduré ce que les avocats avaient qualifié de « contre-interrogatoire ». Lors d'un retournement de situation, que j'avais trouvé choquant mais que Turnbull et son équipe avaient estimé inévitable, la défense m'avait rappelée à la barre pour témoigner, et de nouveau l'hypothèse avait été avancée que Randy souffrait de troubles mentaux au moment où il commettait ses crimes. D'après Turnbull, la partie adverse allait affirmer que dans la mesure où Randy m'avait laissé la clé de la remise, il voulait se faire prendre, juger et exécuter. Ce qui tendrait à prouver que son cerveau ne fonctionnait pas de manière rationnelle. « Il s'agit d'une ultime tentative pour le sauver de l'injection létale, avait résumé Turnbull. C'est audacieux mais à mon avis promis à l'échec. »

C'était dans cette même perspective que le seul survivant des atrocités perpétrées par Randy avait été convoqué au tribunal. Bien que le meurtre des Beckman ait eu lieu dans un autre État, la défense avait argué que le témoignage du jeune garçon était susceptible d'apporter des éclaircissements sur l'état d'esprit de Randy lorsqu'il était passé à l'acte. Malgré ses réticences initiales, la juge Oliver avait fini par céder quand Beyer et son confrère avaient cité un vieux précédent.

Voilà pourquoi Carson s'agitait maintenant sur sa chaise, le regard toujours perdu dans le vague. Son menton était couvert d'acné, ses cheveux emmêlés n'avaient plus aucun lustre et son teint livide laissait supposer qu'il ne sortait pas beaucoup de sa chambre sauf pour aller au lycée. Son oncle et sa tante, devenus ses tuteurs légaux, étaient assis non loin de moi dans la galerie mais je ne pouvais me résoudre à les regarder.

« Carson ? reprit Allan Beyer. Que vous a dit exactement Dana ?

— Elle a dit qu'on devait aller se cacher dans la chambre d'amis de l'autre côté du couloir », répondit le jeune garçon. Il parut s'animer brusquement et les mots se bousculèrent dans sa bouche. « Elle voulait essayer de sortir par la fenêtre mais on était au deuxième étage, je crois qu'elle se rendait pas compte. J'avais tellement peur que je l'ai suivie, et pendant qu'on traversait le couloir j'ai entendu des bruits dans la chambre de nos parents. La porte était fermée, alors je pouvais pas savoir ce qui se passait. Elle s'est ouverte au moment où on entrait dans la chambre d'amis et une voix a appelé Dana, sauf que c'était pas celle de maman ou de papa. J'ai pas pu me retourner parce que ma sœur m'a poussé devant elle. Après, elle a claqué la porte et je l'ai plus revue. »

Un silence total régnait dans la salle, seulement troublé par la respiration saccadée de Carson. La juge Oliver lui demanda s'il se sentait capable de poursuivre ; dans le cas contraire, elle était prête à lui accorder une pause. Il secoua la tête et la gratifia d'un sourire étrangement coquet. « Je préfère en finir le plus vite possible », dit-il.

Guidé par les questions d'Allan Beyer, Carson relata la suite des événements. Trop effrayé pour bouger ou allumer la lumière, il s'était blotti dans un coin en tremblant. Sa sœur avait hurlé une seule fois et il avait distingué des bruits de lutte. « Et aussi des sons… mouillés, comme quand on marche dans une flaque. Et des coups frappés contre un mur ou peut-être par terre, je sais pas. » Dans la salle, rares étaient ceux qui pouvaient le regarder pendant qu'il parlait. Pour ma part, je ne parvenais pas à le quitter des yeux tant je me sentais fascinée par l'impression d'intensité qui émanait de lui tandis qu'on le forçait à revivre ce traumatisme.

«Combien de temps êtes-vous resté caché? demanda Beyer.

— La police a dit un peu plus d'une heure, mais j'en ai aucune idée. Je portais pas de montre.

— Quand êtes-vous sorti?

— Quand il m'a dit que je pouvais y aller.»

Cette réponse engendra une tension presque palpable dans l'assistance. «Qui vous a dit ça? M. Mosley?»

Carson hocha la tête puis se pencha vers le micro installé dans le box des témoins. «Oui.

— Donc, il avait deviné que vous vous étiez réfugié dans la chambre?»

Carson avait blêmi, et durant un moment je crus qu'il allait s'évanouir et tomber de sa chaise. Mais il parvint à se ressaisir. «J'étais assis par terre, le dos contre la porte pour l'empêcher d'entrer. J'étais sûr que j'allais mourir. J'ai entendu quelqu'un sortir de la chambre de mes parents et s'engager dans le couloir, et j'ai dû plaquer mes mains sur ma bouche, je m'en souviens, parce que je voulais pas qu'il m'entende respirer. Au bout d'un moment, comme il y avait plus de bruit, je me suis dit qu'il était peut-être parti et que je devrais essayer d'aider maman, papa et Dana, mais j'avais trop peur. J'ai été lâche.

— Non, fiston, répliqua Beyer. Personne ici ne songerait à vous reprocher de n'être pas intervenu pour empêcher ce qui est arrivé à votre famille. Vous n'y êtes pour rien. C'est une chance que vous soyez encore en vie.

— Ah ouais? Vous croyez?» rétorqua Carson. Tous les regards se concentraient sur lui, à présent. Il considéra un instant l'avocat, puis Randy. «Durant tout ce temps, il savait où j'étais. Il savait. Il se tenait de l'autre côté de la porte, juste à quelques centimètres de moi, et il a commencé à parler comme si c'était une conversation normale. Il a dit, je me rappelle : "C'est drôle, il y a un autre gosse dans cette famille mais je l'ai trouvé nulle part. Je vais avoir un fils moi aussi. Bientôt. Je suis sûr que ce sera un garçon, même si ma femme l'ignore encore. Je le sens." Après, j'ai dû faire du bruit, parce qu'il a ajouté : "Chuuut." Et ensuite il m'a ordonné d'attendre encore quelques minutes avant de sortir. Il m'a dit que je devais descendre directement au rez-de-chaussée pour appeler la police, sans m'occuper de mes parents ou de ma sœur. Là-dessus, il est parti et je lui ai obéi. »

Allan Beyer reporta son attention sur les jurés. « Durant toutes ces années où il a commis des crimes odieux, M. Mosley n'avait jamais jusque-là épargné quiconque. Il a même parlé à Carson avant de quitter la maison des Beckman, alors que celui-ci risquait d'identifier sa voix – ce qu'il a effectivement fait un an et demi plus tard. Aussi, nous vous demandons de décider si ce sont les actes d'une personne sensée agissant au mieux de ses intérêts, ou plutôt ceux d'un individu dérangé, à la capacité de raisonnement amoindrie, comme le suggère son désir évident d'être appréhendé. » Quand l'avocat se tut, Randy se pencha pour lui murmurer quelques mots à l'oreille. S'il parut tout d'abord réticent, Beyer finit par se tourner de nouveau vers le box des témoins. « Encore une question, jeune homme : d'après vous, pourquoi M. Mosley vous a-t-il laissé la vie sauve, après ce qu'il avait fait à votre famille ? Voyez-vous une autre raison que la folie pour expliquer son geste ? »

Anticipant une objection, la juge se tourna vers Turnbull. Ce dernier venait de se lever lorsque Randy prit la parole, s'adressant directement à Carson Beckman dans le box des témoins. « Il sait », déclara-t-il.

Carson le regarda comme s'il voulait le consumer sur place. « Non, je sais pas », affirma-t-il avec force.

La juge Oliver ordonna à Randy de ne plus intervenir. Mais il regardait toujours Carson et il articula les mots en silence cette fois, comme il l'avait fait pour me dire qu'il m'aimait lorsque j'étais venue témoigner : « Oh si, tu le sais. »

L'équipe de Turnbull me fit sortir par une porte de service pour me permettre d'échapper aux caméras et aux questions des journalistes massés sur les marches à l'entrée. Elle donnait sur un parking souterrain réservé aux témoins et aux employés du tribunal. Turnbull m'assura que je n'aurais plus à venir, à moins que je ne souhaite assister à la lecture du verdict la semaine suivante.

« Est-il possible qu'il soit déclaré non coupable ? demandai-je.

— C'est toujours possible, répondit-il en tripotant son nœud papillon. Je crois néanmoins que les jurés n'adhéreront pas à l'hypothèse de la folie. De plus, ce qui s'est passé avec ce jeune garçon aujourd'hui frisait l'indécence et je ne pense pas qu'ils aient apprécié.

— Alors je n'ai pas besoin d'être là.»

Je me dirigeais vers mon Accord lorsque j'entendis une autre porte claquer derrière moi. En me retournant, je vis Carson Beckman, entouré par son oncle et sa tante, s'avancer entre les rangées de véhicules en stationnement. J'avais eu l'intention de remonter dans ma voiture et de rentrer le plus vite possible, mais en apercevant le trio, une force plus puissante que ma volonté me poussa à le rejoindre.

Ils s'arrêtèrent tous trois près d'un gros 4×4 gris métallisé. Carson avait déjà ouvert l'une des portières arrière quand, parvenue à environ un mètre de lui, je m'éclaircis la gorge. Il me fit face, de même que son oncle, un homme distingué aux cheveux blancs vêtu d'un costume trois pièces. Tous deux me dévisagèrent en silence. «Je... Je suis désolée de vous déranger, dis-je, consciente des tremblements dans ma voix mais déterminée à aller jusqu'au bout de ma démarche. Je m'appelle Nina Sarbaines, mon nom de femme mariée était Mosley. Est-ce que je pourrais vous parler, Carson? Ça ne prendra pas longtemps.»

Alors que son oncle paraissait hésiter, Carson hocha la tête et s'écarta de quelques pas. Je le suivis et, arrivée à sa hauteur, je ne pus m'empêcher de lui poser une main sur le bras. Il grimaça et je retirai aussitôt mes doigts.

«Je voulais juste que vous sachiez combien je suis navrée», débitai-je d'un trait, bégayant presque dans ma précipitation. J'aurais eu beaucoup de choses à ajouter, évidemment, sauf que ma gorge se noua, m'interdisant de poursuivre. J'aurais voulu dire que je savais irremplaçables les vies que lui avait volées Randy. Que même si ma situation était différente, il m'avait beaucoup pris à moi aussi.

Carson me regarda avec curiosité encore un moment. De toute évidence, il n'était ni offensé ni particulièrement touché par mon initiative. Après avoir laissé s'écouler plusieurs minutes, durant lesquelles j'en vins à me demander pourquoi je l'avais abordé, il répondit d'une voix douce, curieusement atone : «Je sais pas ce que j'ai, je ressens pas ce que je devrais ressentir… Il y a quelque chose qui cloche chez moi.

— Ne dites pas ça, l'implorai-je. Vous ne devez pas raisonner ainsi. C'est exactement ce que voudrait Randy et il ne faut pas lui donner cette satisfaction, après toute la souffrance qu'il nous a infligée.» Je ne trouvais pas les mots pour exprimer ce que je voulais réellement lui faire comprendre – que je partageais ses tourments, cette impression de vivre continuellement en état de choc.

«Avec le temps, vous irez mieux», murmurai-je, consternée par la banalité de mes propos. Comme je devais lui paraître condescendante, lui dont Randy avait annihilé toute la famille pendant que j'essayais de me convaincre qu'il n'y avait rien de suspect dans le comportement de mon ex-mari… J'aurais voulu lui crier que j'avais été trompée, moi aussi, mais il avait tellement plus perdu que moi ! Enfin, j'apportai une piètre conclusion à l'entretien : «Votre deuil n'appartient qu'à vous, Carson. Vous le ferez à votre propre rythme, quand vous serez prêt.

— Mais je veux pas !» Soudain, je décelai chez lui un gouffre de terreur et d'incertitude. Il semblait me supplier de lui accorder quelque chose, l'assurance qu'il finirait par éprouver de nouveau des émotions, par récupérer ce qui s'était brisé en lui.

Je me rendais compte à présent que je n'avais strictement rien à lui offrir, aucune excuse ni parole de réconfort. En voyant son oncle s'avancer vers nous, j'accueillis avec soulagement ce prétexte pour fuir le désespoir de Carson. Je lui pressai les mains avant de retourner vers ma voiture d'un pas vif, sans un regard en arrière.

XXI

1 L'inspecteur Matthews se gara dans la descente de garage quelques heures après notre dernière conversation téléphonique avec Duane. Il n'avait pas déclenché sa sirène mais sa démarche trahissait un sentiment d'urgence évident lorsqu'il s'approcha de la porte. À peine lui avais-je ouvert qu'il nous salua de la tête, Carolyn et moi.

« Il faut qu'on parle », annonça-t-il. Il posa une mallette sur le canapé puis en retira plusieurs liasses de documents – des rapports et des clichés scannés qu'il étala devant nous. Enfin, il sortit son ordinateur portable, qu'il plaça près de celui de Carolyn. « Vous avez eu l'occasion de parler à votre mari ? me demanda-t-il.

— Le directeur de la prison m'a dit qu'il me rappellerait le plus vite possible. On attend toujours. Carolyn pense qu'il veut essayer d'interroger lui-même Randy. Vous avez des nouvelles de mon fils ? »

Il secoua la tête. « Non, désolé. J'ai passé les deux dernières heures en ligne avec Duane et différents services de police dans la région de Detroit. À propos, Duane n'a pas encore eu le temps de vous téléphoner, il voulait d'abord nous communiquer ses infos. Il nous a envoyé pas mal de choses par mail et j'aimerais que Mme Wren jette un coup d'œil à… » Il n'acheva pas sa phrase, trop occupé qu'il était à fouiller dans ses papiers. Enfin, il brandit un portrait en noir et blanc imprimé sur papier. Je reconnus aussitôt les lèvres minces et les yeux sombres de Carson Beckman, et pourtant il me parut bien différent du jeune garçon dont je gardais le souvenir. Il avait les traits tirés et les joues creusées, comme si sa peau

185

s'était relâchée. Il portait trois anneaux dans l'oreille droite, deux dans la gauche et une petite barbiche hirsute qui ajoutait encore à l'impression de négligence émanant de lui. « Vous l'avez vu, récemment ? » s'enquit Matthews.

J'hésitai un instant avant de répondre : « C'est difficile à dire, mais je ne crois pas.

— C'est le cliché qui figurait dans son dossier chez son dernier employeur connu, une société de livraison pour laquelle il travaillait encore il y a six mois. Il date d'un an, on peut donc supposer que son apparence a encore changé. On a quand même fait parvenir le portrait à la police de Murphy, dans le Tennessee, et il correspondrait au signalement d'un suspect dans le meurtre de Julie Craven. Un témoin s'est présenté tardivement après avoir entendu l'appel lancé par les autorités. » Il nous montra la photo d'une jeune fille. En la découvrant, je ne pus masquer ma stupeur.

« Mon Dieu, murmurai-je.

— Elle lui ressemble beaucoup, hein ? lança Matthews.

— À qui ? demanda Carolyn.

— À cette institutrice qui surveillait mon fils, répondis-je en reposant le cliché d'une main tremblante. Rachel Dutton.

— On ne peut pas encore tirer de conclusions à ce stade, évidemment », déclara l'inspecteur. Il s'adossa au canapé et prit une profonde inspiration avant de poursuivre : « N'empêche, les tueurs compulsifs ont souvent tendance à choisir des victimes qui ont en commun certaines caractéristiques physiques. Il faut qu'on en tienne compte dans notre enquête. O.K. Donc, après le meurtre de ses proches, Carson est confié à la garde de son oncle paternel, un certain Joe Beckman, et de sa femme Laurie…

— Duane devait aller les interroger, intervint Carolyn.

— Et c'est de chez eux qu'il m'a appelé, précisa Matthews. Apparemment, Jeanine Dockery a essayé plusieurs fois de les joindre depuis la disparition de son frère mais ils ont toujours refusé de lui répondre. Peut-être que leur entretien avec Lane Dockery s'est mal passé, ou peut-être que Carson leur a demandé de ne rien dire ; pour le moment, on n'en sait rien. Quoi qu'il en soit, lorsque Duane leur a parlé de Hayden, ils se sont laissé fléchir. Carson est venu vivre avec eux après la mort de sa famille, et il y a environ deux ans il a loué un appartement de l'autre côté de la ville. Ils le croyaient encore là-bas jusqu'à ce que le propriétaire les appelle, il y a six semaines, pour les prévenir qu'il avait déclenché une procédure d'expulsion parce qu'il ne percevait plus le loyer. Il y avait encore quelques cartons là-bas, et comme l'oncle et la tante avaient cosigné le bail, ils sont allés les récupérer pour les entreposer dans leur garage. D'après eux, ils n'ont aucune nouvelle de leur neveu depuis.

» Duane a obtenu quelques renseignements auprès d'eux et j'ai fait la liaison avec la police locale, mais tout ceci provient des affaires de Carson... » Il nous indiqua plusieurs feuilles couvertes d'une écriture que je reconnus sans peine et dont la vue me noua l'estomac. « Jeanine Dockery a également retrouvé la montre de son frère dans ces cartons. Elle est gravée aux initiales de Lane. Du coup, Jeanine s'est affolée et la tante a fini par accepter de parler pendant que son mari appelait leur avocat. Duane a toutefois réussi à le convaincre qu'il ferait mieux de collaborer à l'enquête au lieu de l'entraver. Les pauvres, ils sont complètement retournés par toute cette histoire. »

Je lui pressai le bras. « Moins vite, inspecteur. Reprenez depuis le début, s'il vous plaît.

— Euh, oui, bien sûr. Bon, il semblerait que Carson ait eu des problèmes depuis le jour où il s'est installé chez eux.

— Ce n'est pas tellement étonnant, après ce qu'il lui est arrivé, observa Carolyn.

— Exact. Mais je suis dans la police depuis suffisamment longtemps pour savoir que souvent, la victime peut se transformer à son tour en agresseur. Prenez Charles Pritchett, par exemple. Bref, d'après la tante de Carson, le gamin a suivi une thérapie durant toutes ces années où il a vécu avec eux, et de leur côté ils ont tout mis en œuvre pour l'aider. Leurs propres enfants n'habitaient plus chez eux depuis déjà longtemps, et voilà qu'ils se retrouvent responsables d'un adolescent traumatisé... Joe Beckman affirme que plus ils essayaient de l'inclure dans la famille, plus il se repliait sur lui-même. En fin de compte, l'arrangement s'est réduit à offrir un toit, des repas et un peu d'argent à un jeune qu'ils considéraient comme un étranger. Ils ont laissé entendre que Carson avait eu des ennuis avec les autorités, sans que Duane puisse apprendre de quel ordre.

C'est pour ça que j'ai téléphoné aux flics du coin. Quand je leur ai expliqué que la vie d'un enfant était en jeu, ils m'ont tout de suite envoyé les informations dont j'avais besoin. »

Il plaça devant nous différents rapports de police, dont une plainte pour agression sur une jeune fille. « Carson avait seize ans au moment des faits, expliqua Matthews. Quelques mois seulement après avoir témoigné au procès de Randy, il a attaqué une adolescente au lycée. Il y a eu plus de peur que de mal mais les parents ont décidé de porter plainte et Carson a été expulsé de l'école. Le juge s'est montré compréhensif, il a tenu compte de son passé et décidé de suspendre la sentence. Carson a été autorisé à terminer ses études dans un établissement privé. » Il prit un autre rapport. « Ici, Carson a été interrogé comme suspect dans le cadre d'une plainte pour voyeurisme déposée par des voisins de l'oncle et de la tante. Il n'a pas été inculpé, mais à mon avis ce sont les signes évidents d'un sérieux début de dérapage. »

Je fouillai parmi les documents à la recherche des premiers papiers qui avaient accroché mon regard. « Et ça ? C'est quoi ?

— Des lettres de Randy. Carson les a presque toutes conservées, manifestement. Ils s'écrivent depuis des années. C'est pour ça que je vous ai demandé si vous aviez eu l'occasion de parler à votre ex-mari. »

Carolyn secoua la tête. « Mais enfin, pourquoi Carson aurait-il cherché à correspondre avec le meurtrier de sa famille ?

— Parce qu'il était perturbé, sans doute, répondit Matthews en haussant les épaules. On ne peut pas en être certains, évidemment, d'autant qu'on dispose juste des lettres écrites par Randy. En tout cas, madame Wren, vous avez sûrement raison : les autorités pénitentiaires ont dû essayer d'interroger votre ex-mari. J'ai appris que sa cellule avait été fouillée et que les gardiens n'avaient rien trouvé. Il sait que son courrier est lu – tous les prisonniers le savent –, alors j'imagine qu'il s'est débarrassé de toutes les missives de Carson au fur et à mesure qu'elles arrivaient… » Il me regarda droit dans les yeux. « Il faut qu'on rappelle San Quentin le plus vite possible.

— Dites-moi d'abord ce que vous avez sur Carson.

— Pas grand-chose, en fait. Après son bac, il a décroché des petits boulots ici et là. Comme on n'a pas réussi à identifier d'amis proches ou de simples connaissances, les flics de Detroit sont allés interroger ses collègues chez son dernier employeur. Il voyait de temps en temps son oncle et sa tante jusqu'à la visite de Lane Dockery. Depuis, Carson s'est littéralement volatilisé. »

Il nous montra des photocopies des lettres adressées par Randy au jeune garçon. « Tenez, elles sont plus ou moins classées par ordre chronologique. Les premières ont été rédigées il y a un peu plus de deux ans, juste après Noël. Ici, Randy mentionne la "décision" de Carson, qui – et Duane et moi sommes d'accord là-dessus – doit faire référence au besoin impérieux d'établir un contact. Il devait avoir vingt et un ans à l'époque, or les maladies mentales les plus graves se manifestent en général à la fin de l'adolescence. Plus loin, Randy écrit : "Tu dis que tu as essayé d'oublier mais que les rêves continuent de te hanter. Tu dis qu'ils reviennent tout le temps, malgré tes séances avec le docteur Vale et les pilules qu'elle te donne. Alors suis mon conseil : demande-toi ce qui peut te pousser à vouloir m'écrire. Les réponses que tu cherches sont déjà là, en toi ; il faut juste que tu aies le courage de les affronter. Si je ne peux pas te les donner, je peux au moins t'aider – après tout, je te dois bien ça. Je te signale toutefois qu'ici tout le courrier est lu avant d'être envoyé ou distribué. Je vais donc établir une sorte de carte, d'itinéraire pour te conduire jusqu'à tes réponses. D'abord, tu vas arrêter immédiatement de prendre ces pilules. Les médicaments ne feront qu'obscurcir ton jugement et brouiller les pistes."

— Oh Seigneur », dit Carolyn dans un souffle.

Matthews attira notre attention sur d'autres missives. « Regardez la façon dont Randy s'adresse à Carson après quelques mois de correspondance… » Quand il posa le doigt sur le mot *Fils*, je me rappelai les tentatives de Randy pour communiquer avec nous au début de son séjour en prison, toutes ces lettres qu'il avait adressées à Hayden… Je dus prendre une profonde inspiration pour tenter de refouler ma nausée. « Ils n'avaient pas besoin de recourir à un code très sophistiqué, continua l'inspecteur. En l'absence d'instructions spécifiques, les censeurs de la prison ne s'intéressent qu'aux allusions directes à des activités criminelles. Ce qui a éveillé les soupçons du directeur, c'est la référence faite par Randy au "domicile du traiteur" juste après la tentative de meurtre commanditée par

Pritchett. Pour deux hommes qui avaient peu de chances d'acheter un logement à court terme, ils parlaient beaucoup d'immobilier dans leur correspondance ! Prenez ce passage rédigé par Randy : "Je te suggère de commencer par un bien nettement plus ancien. Une vieille bâtisse à rénover dont personne d'autre ne voudrait, par exemple. Le risque est moindre car de telles structures sont souvent isolées, à l'écart des zones habitées. Bien sûr, elles n'ont pas autant de charme que ce que tu décris comme la *maison de tes rêves* ou l'*endroit idéal*, mais je te recommande néanmoins fortement de débuter par quelque chose d'assez rudimentaire. Sinon, tu pourrais bien te retrouver débordé par l'ampleur de la tâche." Randy lui conseille également de se familiariser d'abord avec la région. Et de, je cite, "se renseigner sur les autres acheteurs ayant éventuellement des vues sur cette acquisition". On pense qu'il veut parler des voisins et des membres de la famille.

— Il lui explique comment choisir une victime…, murmurai-je.

— On le dirait bien. Et c'est peu après ces lettres qu'on voit apparaître des références au "domicile du traiteur". La chronologie coïncide avec l'agression ratée contre Randy.

— Donc, il aurait chargé Carson d'éliminer Pritchett ?

— On ne peut pas l'affirmer avec certitude, répondit l'inspecteur. En tout cas, il semblerait que Carson l'ait déçu, à en juger par la teneur de certains de ses courriers les plus récents. Ici, Randy écrit : "Malgré toutes ces pages où tu te vantes d'avoir rondement mené ton affaire dans le Tennessee, où tu dis que cette première maison était peut-être la bonne et que tu n'as plus envie d'en bouger, on sait bien tous les deux que ça ne fonctionne pas comme ça. Si tu veux être pris au sérieux, tu dois te constituer un portefeuille"…

— Je suis d'accord, déclara Carolyn. Je pense aussi que Randy a dû lancer Carson sur la piste de Pritchett.

— La dernière lettre que j'ai ici a été rédigée juste après la visite de Lane Dockery à l'oncle de Carson. Écoutez ce que dit Randy : "Tu vois que je suis capable de t'aiguiller sur des offres intéressantes. Le domicile de l'écrivain t'ouvre toutes sortes de perspectives. Toi et moi, nous ne sommes pas seulement liés par le passé ; nous avons aussi un présent et un avenir communs. Tu es devenu mes mains." »

Sans me regarder, l'inspecteur Matthews replaça la feuille sur la table. Je lui demandai d'appeler la prison de San Quentin.

2 Cette voix…
C'était stupéfiant : j'aurais pu jurer que je l'avais chassée de ma mémoire, mais dès qu'elle s'éleva à l'autre bout de la ligne j'eus l'impression qu'elle résonnait tous les jours dans ma tête depuis la dernière fois que j'avais vu Randy au tribunal.

« Nina ? C'est toi ? »

Matthews et Carolyn se tenaient près de moi, penchés vers le haut-parleur. L'inspecteur m'avait conseillée sur ce que je devais dire ; d'après lui, il me faudrait aussi maîtriser ma peur et ma haine afin de laisser Randy croire qu'il contrôlait la situation et tenter de lui soutirer des informations.

Je m'obligeai à penser à Hayden. « Bonjour, Randy. Oui, c'est moi.

— Bon sang, ça n'a pas l'air d'aller fort ! N'oublie pas, j'ai toujours pu deviner quand tu retenais tes larmes, quand tu essayais d'être forte… J'ai lu des articles selon lesquels le déni peut favoriser le développement du cancer. Tout ce trop-plein d'émotion, ça étouffe le corps, qui s'empoisonne lui-même. Tu devrais te laisser aller, au moins une fois dans ta vie… » Il s'efforçait d'adopter un ton moqueur mais sans y parvenir vraiment.

« Tu sais très bien pourquoi je t'appelle. Quelqu'un a enlevé notre fils et j'ai besoin d'avoir des réponses.

— Hé, doucement. Je ne t'ai pas parlé depuis six ans et je n'en aurai vraisemblablement plus l'occasion, alors on va prendre notre temps. Et c'est toi qui vas m'écouter. »

Je fus frappée par la note désespérée qui transparaissait dans sa voix. Durant toutes ces années, avait-il souvent imaginé cette conversation en cherchant un moyen de m'infliger d'autres souffrances ? Si tel était le cas, je me sentais prête à endurer ses attaques. Elles ne me touchaient pas. « D'accord, je t'écoute.

— Toi et toute une tripotée de flics, je suppose. » Il parut se ressaisir et sa voix se raffermit. « La dernière fois que je t'ai vue, c'était dans la salle d'audience, quand tu as fait ton petit numéro d'épouse sidérée de découvrir la vérité sur son odieux mari. Dis-moi, les avocats t'avaient aidée à préparer ton discours ?

— Non. Ils n'avaient pas le droit. »

Il ricana. « Si tu le dis… Tu sais, tu devrais y mettre un peu du tien, Nina, je m'ennuie tellement ici ! Je n'ai rien pour me distraire sinon la pensée de ce que tu dois vivre, alors montre-toi un peu coopérative.

— J'ai peur, Randy.

— Ah, enfin ! L'accent de la sincérité… Tu n'es pas idiote, ma belle. Tu ne l'as jamais été. Tu te doutais déjà de certaines choses bien avant que je ne t'offre cette clé.

— Et quel cadeau ! Depuis le début tu n'as cherché qu'à me faire du mal, d'abord avec tes mensonges et ta double vie, et ensuite avec la vérité. Tu n'es qu'un sadique, et c'est vrai, je l'avais compris depuis longtemps. Mais jamais je n'aurais pu imaginer que je vivais avec un homme aussi monstrueux. »

Soudain, un souvenir inopportun me traversa l'esprit et je nous revis tous les deux assis sur le canapé dans son appartement le soir où j'avais sangloté une demi-heure sur mon ex, Brad. Randy m'avait enlacée, il avait essuyé doucement les larmes sur mes joues. Je me remémorai le frisson qui m'avait parcourue lorsqu'il m'avait murmuré qu'il prendrait soin de moi, comme s'il devinait que je ne l'aimerais sans doute jamais autant que cet ancien petit ami et tenait néanmoins à me signifier que lui était prêt à m'aimer sans condition. Je pensais avoir besoin qu'on prenne soin de moi, à l'époque ; je ne pouvais pas concevoir de vivre seule.

« Même si tu ne me crois pas, Nina, sache que je ne t'ai jamais haïe. Je n'ai jamais voulu te faire du mal. Je me sentais plus proche de toi que de quiconque. J'avais même envisagé de te confier mon secret bien avant la mort de la petite Snyder… » Sa voix baissa d'un ton, devint plus caressante. « Tu n'imagines pas ce qu'on ressent à tenir un autre être humain à sa merci et…

— Je ne veux pas l'imaginer. Où est Carson Beckman ?

— Tu ne perds pas le nord, hein?» Il laissa échapper un rire qui se mua rapidement en quinte de toux. «Désolé, reprit-il un instant plus tard, il n'y a pas grand-chose à faire ici à part fumer, et je ne me prive pas de ce plaisir… Bon, puisque cette conversation est enregistrée, j'ai intérêt à tout dire, pas vrai? Plus tard, tu auras ainsi la possibilité de te la repasser à la recherche d'informations ou de messages cachés. Mais je peux déjà t'affirmer qu'il n'y en aura pas. J'ai épuisé toutes mes possibilités de recours en appel et je suis sûr que la date de mon exécution sera bientôt fixée. Alors je ne veux plus de mensonges entre nous, Nina. Vas-y, pose-moi tes questions. Je vais te répondre même s'il est parfois préférable de rester dans l'incertitude.

— Où est Carson Beckman? répétai-je.

— Je n'en ai pas la moindre idée. Je n'ai pas communiqué avec lui, par téléphone ou par courrier, depuis maintenant plusieurs semaines. Et plus précisément, depuis la première fois qu'on a entendu parler de toi aux informations. Au départ, il était censé donner une bonne leçon à Pritchett, mais Carson n'a pas beaucoup d'imagination et il n'a jamais progressé dans ce domaine. Je crois qu'il s'est contenté d'envoyer un article de journal à ce pauvre fou, à la fois pour l'intimider et pour se vanter de ses exploits. C'était plutôt bien joué, d'accord, sauf que j'aurais préféré une méthode plus… radicale. Et puis, là-dessus, Pritchett t'a retrouvée. Si tes copains flics et toi, vous pensez que j'ai une emprise diabolique sur Carson ou que je contrôle son esprit, vous vous trompez; je peux t'assurer que ce jeune homme opère de façon totalement indépendante. Ce n'est pas moi qui ai fait de lui ce qu'il est aujourd'hui. Je me suis contenté de déceler le potentiel en lui.

— Et il est quoi, au juste?

— Comme moi, bien sûr. Un tueur né, un sociopathe ou quelle que soit l'étiquette dont tu veuilles l'affubler. Tu ne peux pas imaginer ce que j'ai ressenti lorsque je l'ai découvert… J'avais toujours souscrit à l'idée d'un univers sans Dieu, à la règle du chacun pour soi. Mais après Carson, ma conception des choses a changé, parce que je me suis rendu compte que notre rencontre ne pouvait pas seulement être une coïncidence, un simple hasard…

» J'ai d'abord vu sa mère et sa sœur marcher dans Ashland Avenue, et toutes les deux étaient marquées. Ça ne s'était encore jamais produit, deux cibles en même temps, mais à l'époque je me suis dit que c'était un coup de chance ou que mes goûts avaient évolué, peut-être. Je les ai suivies et j'ai surveillé leur maison, comme d'habitude. Et là, le deuxième jour, merde, je n'oublierai jamais… C'était une belle journée, fraîche mais dégagée. Le reste de la famille n'était pas là quand le jeune Carson est descendu du car scolaire. Dix minutes plus tard, il est ressorti de la baraque par la porte de derrière en tenant quelque chose – un sac de toile pareil à ceux où on met les patates. Il l'a posé dans le jardin, je l'ai vu rentrer et revenir quelques minutes plus tard avec une pelle, et après il a creusé un trou profond à côté de la clôture, tellement près de moi que j'aurais pu m'inquiéter s'il n'avait pas été aussi absorbé par sa tâche. Il agissait en secret, c'était évident à la façon dont il n'arrêtait pas de regarder autour de lui pour s'assurer que personne ne le surprenait. Les arbres le cachaient des voisins, raison pour laquelle j'avais choisi moi aussi de me dissimuler dans ce coin. Une fois la fosse prête, il y a vidé le sac et j'ai reconnu un corps de chat… en pièces détachées. En même temps, je regardais le visage du gosse. Il avait l'air plongé dans ses pensées et je me rendais bien compte qu'il était excité par les images qui lui venaient à l'esprit. Enfin il a roulé le sac en boule, il a rempli le trou et il est rentré chez lui.

» J'en avais presque oublié de respirer. Je l'avais vu. Je savais *ce qu'il était.*

— C'est pour ça que tu l'as épargné ?

— Évidemment ! Je ne suis pas devin, cela dit, et jamais je n'aurais pu imaginer qu'il prendrait contact avec moi. Au début je voulais simplement le libérer de ses contraintes, le laisser partir dans le monde en savourant l'idée que je l'avais probablement incité à passer à l'acte après ce qui était arrivé à sa chère famille insouciante. Ce que je leur ai fait aurait vraisemblablement suffi à pousser aux pires extrémités n'importe quelle personne normale. Alors avec Carson, c'était couru d'avance… Quand il s'est manifesté, je n'ai pensé d'abord qu'à une sorte d'exercice pour moi, une relation mentor-élève. Je pensais lui donner des conseils pour lui éviter de reproduire certaines erreurs que j'avais commises. Ça me flattait, je ne prétendrais pas le contraire, mais je n'avais pas envisagé de me servir de lui avant que Pritchett n'organise cette tentative de meurtre contre moi. C'est arrivé quelques mois après la première lettre de Carson. Alors je me suis dit que c'était une bénédiction, que j'allais pouvoir disposer d'un instrument pour me venger, même s'il n'était pas encore aussi affûté que je le souhaitais. Malheureusement, Carson est beaucoup trop imprévisible. S'il parvient un jour à canaliser ses pulsions, il me surpassera, je n'en doute pas. Pour le moment, en revanche, je n'ai aucun moyen de prédire son comportement. Très franchement, j'aurais préféré qu'il vous tue tous les deux sur-le-champ. Je ne comprends pas très bien ce qu'il cherche avec cette histoire de kidnapping. Peut-être qu'il a vu trop de films, qu'il croit pouvoir négocier…

— Bon sang, Randy ! m'écriai-je. Comment peux-tu parler comme ça ? Hayden est aussi ton fils !

— Et à partir de maintenant, il ne risque plus de l'oublier. Ni toi, d'ailleurs.

— Adieu, Randy.

— Nina ? Si Carson essaie de te contacter, je te conseille de le prendre au sérieux. Il voudra sûrement te parler, quoi qu'il arrive à Hayden. Je crois que durant toutes ces années de correspondance, j'ai au moins réussi à lui transmettre un peu de mon obsession pour toi.

— Quand cesseras-tu de me faire du mal ? D'en faire à tout le monde autour de toi ?

— Les souffrances que j'inflige se prolongent sur des générations. Tu n'as qu'à demander à la famille de mes victimes… Remarque, dans ton cas elles risquent bien d'achever une génération ! »

Malgré les circonstances, je ne pus m'empêcher de rire. « Tu es pitoyable, Randy. Vraiment. Et j'espère que tu souffriras au moment où ils enfonceront l'aiguille. » Sur ces mots, je raccrochai.

Carolyn m'enlaça sans un mot. L'inspecteur Matthews ne me regardait pas.

XXII

Ce soir-là, Carolyn alla faire quelques courses au supermarché. Je n'avais pas quitté la maison depuis deux jours et ce qui restait dans le frigo n'était pas spécialement appétissant : une demi-bouteille de Coca éventé, un bout de fromage desséché, des raisins ramollis, un flacon de vinaigrette toute prête et deux plats congelés. Je ne bougeai pas du canapé en attendant son retour. L'inspecteur Matthews était parti en promettant de m'appeler s'il avait du nouveau. Une sitcom passait à la télé, et pour une fois les rires en boîte que je trouvais d'ordinaire si agaçants même dans mes séries préférées me procuraient un étrange apaisement.

Je somnolais lorsque la porte d'entrée s'ouvrit. Carolyn s'encadra sur le seuil, ma clé à la main. Elle avait les joues rouges et ne rapportait pas de provisions.

« Qu'est-ce qui se passe ? » demandai-je en émergeant de ma somnolence.

Elle jeta un coup d'œil derrière elle en direction de la voiture de patrouille garée le long du trottoir, puis referma la porte. « J'espère que je ne vais pas regretter ce que je vais faire... Voilà, il y avait ceci sur mon pare-brise lorsque je suis sortie du magasin. » Elle sortit un papier de sa poche.

Ses doigts tremblaient, tout comme les miens lorsque je pris le document. C'était une enveloppe blanche toute simple, comme celle que Pritchett m'avait transmise d'une façon similaire. Elle contenait une seule feuille, sur laquelle figuraient des mots en majuscules rédigés au feutre : SUIVEZ MES INSTRUCTIONS ET SOYEZ AU RENDEZ-VOUS DEMAIN À NEUF HEURES. JUSTE NINA.

PAS DE FLICS, PERSONNE. SI VOUS N'ÊTES PAS SEULE, IL PERDRA L'AUTRE. Venaient ensuite des indications censées me mener dans le comté de Chatham, à environ une demi-heure à l'ouest de Cary, une des rares zones rurales qui subsistaient encore dans la région de Raleigh/Durham/Chapel Hill, constituée de quelques fermes et de hameaux cernés par des lotissements de plus en plus envahissants.

Je posai la feuille sur la table basse, à côté de l'ordinateur de Carolyn. «Ça veut dire quoi, "il perdra l'autre"?

— Je voulais d'abord que vous lisiez le mot. Maintenant, asseyez-vous.» Elle me tendit ensuite un second papier.

Il s'agissait cette fois d'une photo scannée qui montrait mon fils les poignets et les chevilles entravés par du ruban adhésif, assis sur un canapé recouvert d'un plaid à carreaux. Un mur nu se dressait derrière lui, évoquant une cave ou un sous-sol : parpaings gris, aucune fenêtre visible. Hayden avait un autre morceau d'adhésif collé sur la bouche et un pansement grossier, fait de gaze et de sparadrap, sur l'œil gauche.

«Oh non...» Je plaquai une main sur mes lèvres, comme dans la remise de Randy des années plus tôt. *Ses yeux...*

Carolyn s'installa à côté de moi et me prit doucement la photo des mains. «Allez en parler aux policiers dehors, dit-elle. Ils préviendront Matthews. Il lui faudra moins d'une heure pour envoyer sur place une équipe d'intervention qui vous ramènera Hayden.

— Non!» Déjà, j'imaginais des hommes sortant d'une bâtisse sordide une housse mortuaire de la taille de Hayden. Des scènes de prises d'otages que j'avais vues aux informations télévisées me revinrent à l'esprit. Elles se terminaient rarement bien. Sans compter que Carson Beckman était malade, au moins autant que Randy, sinon plus. Je récupérai la photo et l'agitai devant Carolyn. «Si ce salaud a déjà arraché un œil à mon enfant, vous croyez vraiment qu'il hésitera à le tuer?»

Elle essaya de me raisonner. «Vous ne pouvez pas y aller seule... Le risque est trop grand qu'il vous élimine tous les deux.»

Je me sentais étrangement calme, soudain, détachée et lucide. «Peut-être pas, répliquai-je. Peut-être qu'il s'intéresse plus à moi qu'à Hayden. Je veux dire, c'est bien ce qui est en jeu, pas vrai?

Vous avez entendu Randy au téléphone : il veut se servir de Carson pour m'atteindre, c'est la dernière occasion pour lui d'y parvenir. Si Carson avait voulu la mort de mon fils, il n'aurait pas envoyé ce message, il se serait débarrassé de lui en attendant une opportunité de s'attaquer à moi.

— Rien ne prouve qu'il ne l'ait pas fait, murmura-t-elle. On ne sait pas quand cette photo a été prise ni ce qui a pu se passer depuis.

— Hayden est en danger, Carolyn. »

Je la sentais près de céder mais elle tenta encore de me convaincre. « Au moins, laissez-moi prévenir Duane. Carson se trouvait forcément dans le coin durant la dernière demi-heure. Il a dû surveiller la maison et me suivre jusqu'au magasin pour placer l'enveloppe sur mon pare-brise. Il est possible qu'il soit toujours en train de nous observer. »

Je secouai la tête. « Si les policiers ne l'ont pas remarqué jusque-là, comment voulez-vous qu'ils arrivent à le repérer maintenant ?

— Il doit y avoir des caméras de sécurité sur le parking du supermarché. Elles ont peut-être filmé son véhicule et... »

Je plaçai mes deux mains sur ses épaules. « Arrêtez, Carolyn, s'il vous plaît. Carson n'exige pas de rançon ni rien. Parce qu'il n'a pas l'intention de nous laisser en vie, je le sais. Vous vous rappelez ce qu'a dit Randy ? Je dois prendre Carson au sérieux. J'ai une chance de pouvoir faire quelque chose, et j'ai besoin de vous mais je ne veux pas risquer que quelqu'un d'autre gâche tout. Vous m'avez déjà apporté beaucoup, Carolyn, j'en suis consciente. Néanmoins, j'aurais une dernière faveur à vous demander : aidez-moi à sauver mon fils. N'en parlez à personne, ni à Duane ni aux flics. »

Elle baissa la tête et je vis des larmes rouler sur ses joues. Pour autant, elle ne chercha pas à me faire revenir sur ma décision. Enfin, elle retira de son sac une arme de poing. « Alors prenez ceci, me dit-elle. Et je vous accompagne au moins jusqu'à la maison. Une fois là-bas, je veux bien vous attendre à proximité, mais je viens avec vous. Ce n'est pas négociable.

— D'accord. Dans l'immédiat, il faut qu'on aille décharger les courses de votre coffre avant que les flics soupçonnent quelque chose. »

XXIII

1 « Si vous insistez pour y aller, j'insiste pour que vous portiez une protection, décréta Carolyn. Duane et moi, on a toujours un gilet dans la voiture, au cas où éclaterait une fusillade. Après ce qu'il a vécu… »

Dans ses efforts pour me dissuader d'obéir aux instructions de Carson, elle avait passé une bonne partie de la soirée de la veille à me raconter en détail comment s'était achevée la carrière de Duane dans la police. Il était devenu inspecteur à l'époque, après avoir patrouillé des années dans la rue. Son coéquipier et lui étaient partis arrêter un homme politique véreux. Celui-ci, prévenu de leur arrivée, avait répondu au coup frappé à sa porte en leur disant d'entrer, puis il leur avait tiré dessus pratiquement à bout portant. Le partenaire de Duane avait été tué sur le coup, Duane avait été touché à la poitrine et à la tête, et l'homme politique avait ensuite retourné l'arme contre lui-même. C'était ainsi que Duane Rowe avait quitté la police de Reston avec une pension d'invalidité et qu'il avait pu monter son agence. Carolyn l'avait rencontré alors qu'elle couvrait l'événement pour le journal local et une chose en avait amené une autre…

Tout en ajustant le gilet pare-balles sur mon torse, elle me répéta certains chiffres qu'elle estimait parlants : Duane avait subi huit opérations différentes en l'espace de vingt mois et quatre années d'une rééducation aussi douloureuse que laborieuse. Ses cheveux n'avaient jamais repoussé à l'endroit où les balles lui avaient ouvert le crâne, raison pour laquelle il se coiffait souvent d'une casquette de base-ball.

Enfin, je laissai retomber mes bras. Le gilet en Kevlar était encombrant et inconfortable, et je dis à Carolyn que je ne tenais pas à éveiller les soupçons de Carson mais elle ne voulut rien entendre. « Il ne vous a pas spécifiquement interdit dans son message de prendre des mesures pour vous protéger », me répéta-t-elle peut-être pour la centième fois.

Je ne jugeai pas nécessaire de lui rappeler que Carson Beckman n'était certainement pas du genre à s'interroger sur les raisons qui avaient pu me pousser à enfreindre l'étiquette ; elle le savait déjà. Elle se sentait impuissante et effrayée parce que le scénario ne correspondait pas du tout à ce qu'elle aurait elle-même envisagé. Carolyn aurait voulu des hommes en tenue de combat descendant d'un hélicoptère, des tireurs postés dans les arbres… Moi, je voulais juste retrouver mon fils sain et sauf.

Elle m'aida à enfiler ma veste puis recula pour juger de l'effet. « S'il vous fouille, il s'apercevra immédiatement de la supercherie.

— Et alors ? Vous serez là pour me couvrir, non ? » Peu importait le danger qui me menaçait. Seul comptait Hayden.

« En principe, oui, répondit-elle avec un soupir. Mais en réalité, on ne sait pas ce qui nous attend… Si ça se trouve, on s'est trompées sur toute la ligne : Carson a peut-être un complice, il a peut-être piégé la maison, il…

— Stop ! Vous avez raison, on ne sait pas grand-chose. En attendant, on n'a pas le choix, il faut y aller. » Il était sept heures trente. Le trajet nous prendrait entre trente et quarante-cinq minutes, et je voulais conserver une marge de sécurité au cas où il y aurait de la circulation ou un problème quelconque.

Carolyn portait une première arme à feu dans un holster à l'épaule et une seconde à la ceinture, à laquelle était également accroché un couteau. Pour ma part, j'avais placé dans ma poche droite le revolver qu'elle m'avait prêté.

Enfin, elle inclina la tête vers moi et, front contre front, nous murmurâmes une courte prière. « Amen », dit-elle. « Amen », répétai-je.

La veille au soir, nous avions aussi passé un bon moment à chercher sur Internet des renseignements et des photos satellite de la maison où Carson m'avait donné rendez-vous. C'était une bâtisse modeste sise sur un terrain de cinq acres et enregistrée au nom de M. Abraham Locke. Nous avions trouvé son numéro dans l'annuaire. Carolyn l'avait copié, de même que l'adresse, dans un message que nous laisserions chez moi à l'intention des policiers au cas où les choses tourneraient mal. Nous étions parties du principe que M. Locke n'était pas complice du kidnapping ; pour nous, il était probablement absent ou mort. D'après nos renseignements, c'était un homme de soixante-dix-huit ans, veuf depuis plus d'une décennie et dont l'unique enfant vivait en Floride.

Les plans disponibles en ligne nous avaient révélé une petite construction de plain-pied recelant peu de cachettes. Carolyn était d'avis que Carson retenait Hayden au sous-sol, où la photo avait dû être prise. Malgré le caractère insoutenable de ce cliché, elle m'avait obligée à le regarder encore et encore, en me demandant ce que je voyais. Où étaient les issues possibles ? Comment allions-nous descendre pour faire sortir Hayden ? Nous avions examiné différents cas de figure dont le dénouement nous paraissait pour le moins incertain.

Mais le temps pressait, désormais, et nous nous dirigeâmes vers le garage. Je ne verrouillai pas la porte, disant à Carolyn que je comptais ramener Hayden à la maison avant la fin de la journée.

2   Carolyn s'arrêta brièvement pour aller bavarder avec les policiers stationnés dans la rue. « Je vais porter sa voiture chez le garagiste, leur lança-t-elle par la vitre ouverte. Elle avait pris rendez-vous pour un problème de freins avant que cette histoire n'arrive, et moi, j'ai besoin de prendre l'air. Ne la dérangez que si c'est important. Je l'ai convaincue d'avaler un somnifère. La pauvre, il faut qu'elle se repose. »

Lorsque nous fûmes sorties du quartier, je repoussai la couverture sous laquelle je m'étais allongée sur le plancher à l'arrière de la voiture pour me cacher. « Je regrette que vous ayez dû leur mentir.

— Moi aussi. »

Il faisait froid ce matin-là, et le ciel couvert laissait présager une averse de pluie ou de neige fondue. La circulation sur l'autoroute était chargée, comme souvent en semaine. Je regardai machinalement derrière la vitre les autres automobilistes occupés à bavarder ou à chantonner en même temps que la radio. *Ils ne se doutent de rien,* pensai-je. *Comment pourraient-ils imaginer que je vais peut-être voir mon fils pour la dernière fois ?* J'aurais aimé les mettre en garde, leur recommander de bien surveiller leur famille, surtout les enfants, de ne pas s'appesantir sur les petites tracasseries du quotidien et de célébrer chaque moment passé avec les êtres aimés. Je n'avais pas été capable de protéger Hayden, je n'avais pas assez encouragé ses passions, je n'avais pas mémorisé ses expressions au fil des années. Oh, Seigneur, qu'allait-il advenir de mon petit garçon ?

Je priais pour qu'il aille bien. Pour que tous ces conducteurs pressés, enfermés dans leur véhicule où ils se croyaient à l'abri, n'aient jamais l'occasion de sentir cette terreur qui grandissait en moi. En ce moment même, combien parmi eux s'efforçaient d'étouffer des doutes ou un vague malaise suscité par le comportement d'un proche ? Et combien dissimulaient un secret ? Une partie de moi leur enviait leur insouciance, et pourtant je savais aussi que c'était mon propre refus d'affronter la réalité qui nous avait menés jusque-là, Hayden et moi.

Dès que nous sortîmes de l'autoroute pour pénétrer dans Chapel Hill et le comté de Chatham, le nombre de voitures diminua sensiblement, et les routes à travers champs et forêts devinrent plus étroites. Je n'arrêtais pas de consulter ma montre ; la veille au soir, le temps m'avait paru s'étirer interminablement mais à présent il me semblait que les secondes s'écoulaient beaucoup trop vite.

Enfin, nous nous engageâmes dans Old Lystra Road, comme nous l'avait indiqué Carson. Une vieille ferme en ruine, envahie par les plantes grimpantes, se dressait à l'intersection. Environ deux kilomètres plus loin, nous aperçûmes l'entrée de la propriété d'Abraham Locke, signalée par une boîte aux lettres beige au bout d'une allée de gravier. Carolyn passa devant sans ralentir et continua jusqu'à un endroit où nous pûmes faire demi-tour. Nous étions entourées d'arbres et toutes les maisons se nichaient manifestement à l'écart de la chaussée.

Ce qui ne nous arrangeait pas, car lorsque nous aurions remonté l'allée d'Abraham Locke, plus personne ne pourrait nous voir. Carolyn se mit au point mort, puis nous échangeâmes nos places et elle alla se cacher sous la couverture, comme je l'avais fait en quittant la maison. Nous avions poussé le chauffage à fond et pourtant j'avais les mains glacées à l'intérieur de mes gants. Quand je démarrai, il était neuf heures moins dix. J'allais bientôt ramener Hayden chez nous, me répétai-je.

« Encore une fois », me lança Carolyn à l'arrière de la voiture.

Nous avions déjà tout répété à plusieurs reprises mais je récitai néanmoins ce qu'elle voulait entendre : « S'il sort pour fouiller la voiture et qu'il n'est pas avec Hayden, vous tirez sur lui et on croise les doigts. » Je n'avais pu dissimuler le scepticisme que m'inspirait cette éventualité. « Sinon, j'entre seule. Vous attendez dix secondes et ensuite vous me rejoignez. Dans l'hypothèse où Hayden ne serait pas près de lui, je demanderai : "Où est-il ?" Vous contournerez la bâtisse pour aller jeter un coup d'œil à la porte de la cave, qui d'après le plan devrait être accessible par le jardin. Mais Carson sera sûrement avec mon fils s'il veut négocier sa libération.

— Ce qui m'étonnerait, puisqu'il ne l'a pas précisé dans son message.

— On n'en sait rien. »

Cette fois, Carolyn opta pour la franchise brutale. « Oh si, on le sait ! Il a l'intention de vous tuer tous les deux. Bon, j'éviterai de me montrer tant que vous n'aurez pas la confirmation que Hayden est vivant, mais à la première occasion de tirer sur Carson Beckman, n'hésitez pas. Ne cherchez pas à le blesser. Visez la poitrine ou le front. Plutôt la poitrine, elle offre une cible plus large.

— Et s'il porte un gilet pare-balles, lui aussi ?

— Alors visez les yeux, répliqua-t-elle d'une voix dénuée d'émotion. Vous avez ôté le cran de sûreté ? »

Je vérifiai une troisième fois. Oui, j'étais prête, lui assurai-je. Parmi tous les mensonges qui avaient jalonné une vie de déni et d'aveuglement, c'était sans doute l'un des plus gros.

3 À neuf heures moins cinq, je tournai dans l'allée étroite d'Abraham Locke. Elle décrivait un virage sur la droite, et enfin la maison apparut. Elle était telle que nous l'avions imaginée en voyant les plans : un ranch de plain-pied, environné d'arbres dont les branches effleuraient les pignons décolorés par les intempéries, et qui communiquait avec un garage double occupé par une Toyota Land Cruiser et une berline Lincoln. Carolyn, toujours blottie sur le plancher, me demanda de lui décrire l'endroit.

« Lane Dockery avait une Land Cruiser », fit-elle remarquer.

La gorge nouée, je coupai le moteur. J'enlevai mes gants, plongeai une main dans ma poche et refermai les doigts sur le pistolet. J'avais la possibilité de passer par le garage ou de me présenter à la porte.

« Carson est là ?

— Non, répondis-je.

— Je suis sûre qu'il vous observe. Allez-y. »

Au prix d'un immense effort, je parvins à m'extraire de la voiture. En me redressant, je crus que j'allais vomir. Un silence presque total régnait alentour, seulement troublé par le bruissement du vent dans les branches. Je me dirigeai d'une démarche raide vers la porte d'entrée, bordée de fenêtres dont les rideaux étaient tirés. Sur ma gauche, j'apercevais la route à travers les arbres. Elle était déserte.

Je m'apprêtais à frapper un coup contre le battant lorsque j'entendis demander de l'autre côté : « À qui vous parliez, dans la bagnole ?

— Je parlais toute seule, répondis-je sans hésiter.

— Avancez les mains en l'air. » À en juger par les tremblements de sa voix, mon interlocuteur avait aussi peur que moi, même si cela ne me paraissait pas possible. J'étais tellement effrayée que j'avais l'impression de planer, d'être complètement détachée de mon corps.

Je poussai la porte, pour découvrir un couloir et un grand salon sur ma droite. Compte tenu de l'absence d'éclairage et des rideaux tirés, il me fallut quelques instants pour m'accoutumer à la pénombre ambiante. La puanteur en revanche m'assaillit immédiatement. Enfin, je distinguai un corps au milieu du corridor qui s'enfonçait dans les profondeurs de la bâtisse ; il était enveloppé d'un plastique transparent, aussi ne pouvais-je pas voir ses traits, mais une chose était sûre : il avait la taille d'un homme et non celle d'un enfant. Du sang avait coagulé sur la bordure de la housse mortuaire improvisée et deux pieds jaunâtres en émergeaient. Je me demandai brièvement comment Abraham Locke était mort, si Carson s'était introduit chez lui en plein jour ou s'il l'avait surpris dans son sommeil. Le vieil homme s'était-il réveillé au moment où la lame descendait vers lui ? Et avait-il encore ses yeux ?

Je me souvins des lettres de Randy conseillant à Carson de cibler des personnes âgées parce qu'elles étaient plus isolées, plus vulnérables que les jeunes. Selon toute vraisemblance, Abraham Locke avait été assassiné juste parce que sa propriété se situait suffisamment à l'écart des autres habitations pour servir les sombres desseins de Carson.

Le sol était recouvert d'un plancher brut et les murs d'un papier peint à motif clair, jauni par le temps. Les plafonds de stuc s'ornaient de taches d'humidité brunâtres et de toiles d'araignée dans les coins. Il ne faisait guère plus chaud à l'intérieur qu'à l'extérieur. Le tic-tac d'une horloge invisible résonnait nettement dans le silence.

Carson Beckman m'attendait au salon, assis dans un fauteuil en velours élimé placé devant l'âtre vide. Il me regardait avec intensité, essayant sans doute d'évaluer mon degré de peur. Je remarquai un gros bar empaillé, à la gueule béante et aux yeux de verre, posé sur le manteau de la cheminée, des photos de famille encadrées sur les murs, et sous les fenêtres un canapé recouvert d'un vieux plaid gris. Carson arborait autour du torse un harnais dont il s'était servi pour sangler mon fils, l'obligeant ainsi à se mouvoir en même temps que lui. Hayden avait les mains entravées et les lèvres scellées par un morceau de ruban adhésif. Ses deux yeux étaient à présent dissimulés par des compresses de gaze, constatai-je avec effarement. Ses chevilles n'étaient cependant pas attachées, et la vue de ses petits pieds nus m'arracha un gémissement sourd. Quand il l'entendit, Hayden se mit à hurler derrière son bâillon. Au même moment, Carson pointa lentement vers moi un fusil à canon scié.

Je gardai les bras levés. Avec un sourire mauvais, il indiqua de la tête l'arme devant lui. « Je pouvais pas m'acheter de flingue dans l'Illinois à cause de mes problèmes psychiatriques. Heureusement pour moi, le proprio en gardait un dans son placard ! Je me suis entraîné à tirer dans le jardin, hier. Ça vous coupe un arbre en deux, ce bazar, alors je vous conseille de pas déconner ! »

Hayden se débattait toujours et je vis Carson osciller, déséquilibré par le poids de son otage qui tentait de se dégager. « Oh, mon chéri, murmurai-je. Maman est là. »

Carson ne ressemblait plus au jeune garçon que j'avais vu au tribunal. Ni même à la photo que m'avait montrée Matthews. Il était maigre, presque décharné, diminué malgré sa taille – si frêle qu'il paraissait sur le point de se briser. Il était vêtu d'un jean trop large qui lui tombait bas sur les hanches et chaussé de bottillons trop grands aux lacets défaits. Sans doute les avait-il trouvés eux aussi dans les affaires d'Abraham Locke… Il avait le visage hâve, marqué de façon surprenante pour son âge. De profonds cernes sombres soulignaient ses yeux à l'expression éteinte. Un sourire étira lentement ses lèvres tandis qu'il me dévisageait.

« Laissez-le partir, dis-je.

— Randall sera tellement fier de ce que j'ai fait ! »

Brusquement, j'eus la certitude qu'il allait m'abattre et mon instinct de survie l'emporta sur toute autre considération. Je me précipitai sur lui en essayant d'atteindre Hayden, sans réfléchir que le gilet me protégeait la poitrine et le dos mais pas les flancs, où il n'y avait que les sangles. La détonation fut assourdissante et la force de l'impact dans mes côtes me projeta contre le mur du couloir. Mes jambes se dérobèrent aussitôt et je m'effondrai à plat ventre, le souffle coupé. J'entendis Carson approcher et, faisant appel à toute ma volonté, je réussis à me retourner. Je ne sentais plus rien du côté droit et mon bras ne répondait pas. Impossible de sortir mon pistolet de ma poche. D'autant que j'avais l'impression d'un poids énorme sur ma poitrine, qui chassait l'air de mes poumons.

L'écho de la déflagration dans mes oreilles m'empêcha presque de distinguer les paroles de Carson. Il s'arrêta tout près de moi, amenant le canon du fusil encore chaud à quelques centimètres seulement de mon visage.

« J'ai failli vous liquider tous les deux la semaine dernière, dit-il d'un ton pensif. Mais quand je vous ai suivie jusqu'à l'école où vous alliez chercher Hayden, j'ai repéré la prof. Cette bonne femme, c'était exactement mon type, et du coup j'ai changé mes plans. Je parie que votre mari a pas apprécié. Bah, ça m'a juste retardé un peu… »

Les mots « mon ex-mari » ne parvinrent pas à franchir mes lèvres.

Un bruit que je ne perçus pas attira soudain son attention. Il redressa la tête, se retourna vivement malgré le poids de Hayden sur sa poitrine et tira en direction de la fenêtre. Les rideaux s'écartèrent, la vitre vola en éclats et je vis Carolyn partir à la renverse, une main levée. Un cri s'étrangla dans ma gorge. Hayden hurla derrière son bâillon et Carson le gifla sur la tempe avant de reporter son attention sur moi.

« Tsss, c'est pas du jeu, me réprimanda-t-il. Vous étiez censée venir seule. Remarquez, je me doutais bien que vous n'obéiriez pas… En attendant, j'ai abattu un de vos copains et je suis prêt à accueillir les autres de la même manière. Putain, ce que c'est bon de se sentir à nouveau vivant ! » Il s'agenouilla pour me caresser les cheveux. Quand il retira sa main, elle était couverte de sang. J'eus un étourdissement, et à cet instant je sentis le pied de Hayden m'effleurer le bras ; je voulus l'attraper mais Carson m'en empêcha. Puis il se leva, cassa son fusil, éjecta les douilles vides et sortit deux autres cartouches de la poche de son jean.

« Tenez, je vais vous dire un truc qui va peut-être vous faire plaisir, reprit-il. J'ai pas pu tuer votre gosse. Randall m'avait expliqué qu'avec les enfants, c'était spécial, une expérience unique. Il se trompe quand il pense que je lui ressemble. Si j'ai enlevé Hayden, c'était juste pour vous faire venir jusqu'ici. Sérieux. Ce gamin, il me rappelle trop ce que j'étais avant, quand je vivais encore avec papa et maman. Je veux qu'il ait une chance loin de vous et de son père. Alors je vais l'emmener avec moi. Ce sera mon frangin. »

La bouche grande ouverte, je cherchais à avaler de l'air comme un poisson échoué. Je songeai au bar sur la cheminée, à sa longue agonie au fond d'une barque…

« N'empêche, votre mari est le seul à m'avoir compris, continua Carson en jouant avec les cartouches. Si d'autres avaient découvert ce que j'avais dans la tête, ils auraient sûrement essayé de m'enfermer mais Randall, lui, il sait ce que c'est que de vivre complètement isolé dans son monde, sans que personne se doute de ce qui se passe en vous. En grandissant, je me suis rendu compte que j'étais différent. Je rêvais tout le temps de faire des trucs affreux aux gens. Je pouvais pas en parler, évidemment, parce que c'était pas bien, alors je me défoulais sur des bestioles. Et puis, Randall Roberts Mosley est venu chez moi et il m'a plus jamais quitté. J'avais toujours les mêmes rêves, sauf que maintenant il était dedans. J'ai hésité pendant des années avant de lui écrire. Croyez-moi, il m'a fallu un sacré courage pour glisser ma toute première lettre dans la boîte ! Quand il m'a répondu, quand je me suis aperçu qu'il me comprenait... J'ai su à ce moment-là que je pourrais faire les trucs dont j'avais toujours rêvé. Il m'a donné la force d'arrêter de lutter, d'accepter ce que j'étais et de réaliser mes fantasmes.

— C'est un... un minable », articulai-je.

Carson me regarda tristement. « Je sais. J'en suis un aussi. » Il logea les cartouches dans la chambre et voulut refermer le fusil mais un coup de pied de Hayden l'en empêcha. Carson éclata de rire et s'apprêtait à repousser la jambe de mon fils quand la porte d'entrée s'ouvrit à la volée. Carolyn se jeta à plat ventre dans le couloir et, serrant son arme à deux mains, elle tira à plusieurs reprises. J'avais toujours les oreilles bourdonnantes et j'entendis à peine les détonations, cette fois. La tête de Carson partit d'un côté, puis de l'autre, sang et tissus lui éclaboussant le visage. Je hurlai à Carolyn d'arrêter, paniquée à l'idée que Hayden ne soit touché. Sur un dernier spasme, Carson s'écroula près de moi, l'entraînant dans sa chute.

Carolyn reposa son arme sur le sol. Malgré la fumée, je vis qu'elle avait une plaie béante dans le dos. « J'ai... J'ai prévenu les flics avant de sortir de la voiture », dit-elle.

Je ne gaspillai pas mes forces à lui répondre. Au lieu de quoi, je rampai jusqu'à Hayden et arrachai les sangles du harnais et les entraves qui le retenaient prisonnier. « Maman ! Maman ! » cria-t-il quand j'enlevai l'adhésif sur sa bouche. Je lui demandai s'il était blessé mais sans répondre il me tomba dans les bras en pleurant. Puis, d'un mouvement vif, il ôta les compresses de gaze sur ses yeux. La vue de ses prunelles bleues me procura un tel soulagement que je fondis en larmes à mon tour.

Entre deux sanglots, il hoqueta : « Tu... Tu saignes, maman. T'as mal ? »

Je ne lui dis pas que j'avais de plus en plus de difficulté à respirer. Je me bornai à indiquer Carolyn en murmurant : « Va chercher la couverture sur le canapé et étends-la sur son dos, d'accord ? »

S'il était peu désireux de me quitter, il obéit néanmoins à contrecœur. Carolyn gémit quand le tissu toucha la blessure, et je me demandai si c'était une bonne idée de la recouvrir. Sûrement, décidai-je, car elle saignait beaucoup plus que moi vu qu'elle ne portait rien pour arrêter les balles. Elle avait l'air épuisé et en état de choc. Mais les mots qu'elle prononça ensuite me prouvèrent qu'elle avait encore du répondant :

« Je vous donne mon gilet et vous vous débrouillez pour vous faire toucher au seul endroit où il ne vous protège pas. À mon avis, je vais avoir des ennuis pour ne pas avoir averti la police plus tôt. Vous avez intérêt à vivre assez longtemps pour expliquer tout ça à Duane... »

ÉPILOGUE

1 L'exécution de Randall Roberts Mosley devait avoir lieu le 10 mars à six heures du matin. Le jour se levait quand j'arrivai au pénitencier, devant lequel s'était rassemblé un petit groupe d'opposants à la peine de mort qui brandissaient des pancartes et des bougies allumées. J'avais entendu dire aux informations que certains proches des victimes participeraient à cette manifestation ; si j'admirais leur capacité de pardon et leur idéalisme, jamais je n'aurais pu me joindre à eux. Pas pour défendre Randy.

Je pris place dans la salle d'observation avec onze autres personnes – des parents des défunts ainsi que deux représentants de la presse. Aucun des avocats de Randy n'était là. Le directeur entra quelques instants plus tard, se présenta et nous expliqua la procédure qui allait suivre ainsi que les règles de conduite à observer. M. Jenkins était un petit homme d'une soixantaine d'années à la mise élégante. Il nous demanda de ne pas manifester ouvertement notre émotion, même si c'était difficile. En d'autres circonstances, ajouta-t-il, le condamné aurait été autorisé à faire une dernière déclaration mais M. Mosley n'en aurait pas la possibilité compte tenu de son agressivité.

Randy avait essayé d'entrer en contact avec moi à plusieurs reprises au cours de l'année écoulée depuis l'épreuve infligée par Carson Beckman. J'avais chaque fois ignoré ses requêtes et j'étais heureuse qu'il ne puisse pas prendre la parole aujourd'hui ; j'estimais lui avoir donné amplement l'occasion de dire ce qu'il avait à dire. Après six ans de vie commune dont quatre de mariage, plus sept ans de tourments endurés seule, je ne voulais plus entendre un seul mot de sa bouche.

Lorsque, à six heures moins cinq, deux gardiens le firent entrer dans la salle, mains et chevilles entravées, je fus stupéfaite de voir à quel point il avait grossi : il avait pris au moins cinquante kilos depuis le jour où il m'avait laissé cette clé dans la cuisine. Il avait également perdu tous ses cheveux, ce qui le rendait encore plus pathétique. D'autant qu'il n'arrêtait pas de se débattre, tant et si bien que plusieurs personnes dans la salle d'observation commencèrent à s'agiter sur leur siège, visiblement mal à l'aise. Je les comprenais : les films montrent souvent des scènes d'exécution empreintes de solennité, où le condamné affronte l'épreuve avec une certaine dignité. Randy, lui, criait derrière son bâillon de caoutchouc, et il tenta en vain de repousser les hommes qui l'allongeaient sur la table. Les sangles de toile destinées à l'immobiliser me rappelèrent celles utilisées par Carson Beckman pour emprisonner Hayden.

J'avais laissé mon fils chez les McPherson, qui me fréquentaient de nouveau depuis que les médias avaient fait de moi une célébrité plus acceptable. Et que nous avait-il fallu pour renouer ? Oh, pas grand-chose, juste que mon fils et moi frôlions la mort…

Dennis Hughes, le plus jeune frère de Keith, était assis à ma droite. Keith Hughes et sa femme Leslie avaient été assassinés moins d'un an avant que je ne tombe enceinte. À ma gauche se trouvaient Katherine et Paul Zimmerman, dont la fille Jane avait été tuée peu après notre mariage, alors que Randy était en déplacement à Minneapolis.

Dennis me tenait une main, Katherine Zimmerman l'autre.

La plupart des familles endeuillées avaient cependant décliné l'invitation. Si certains proches des victimes avaient exprimé à la télévision leur opposition à la sentence, beaucoup s'estimaient satisfaits sans toutefois se sentir obligés d'assister à l'exécution. Charles Pritchett, lui, était là, derrière moi. Je ne voyais aucune raison de lui adresser la parole et il semblait enfin déterminé à m'ignorer lui aussi.

Les médecins avaient retiré de mon flanc plus de quarante plombs. La force de l'impact m'avait brisé deux côtes et je ne pourrais plus jamais dormir du côté droit. J'avais également perdu une partie de mon foie et bien failli me vider de tout mon sang avant l'arrivée des urgentistes chez Abraham Locke. Heureusement, un foie endommagé se régénère, avais-je appris à mon grand soulagement. J'avais néanmoins passé deux semaines à l'hôpital et d'innombrables heures à répondre aux questions de l'inspecteur Matthews et de ses hommes, qui ne s'étaient pas privés de me reprocher mon imprudence. Aucun cependant ne m'en voulait autant que Duane Rowe, qui m'avait à peine adressé la parole depuis notre sauvetage, même si sa femme et moi étions restées en relation. Pour un peu, il aurait demandé le divorce s'il n'avait pas été aussi heureux de retrouver Carolyn vivante. Ses blessures n'étaient pas aussi graves que les miennes mais elle avait dû subir plusieurs greffes de peau et il lui faudrait des mois pour se remettre.

J'avais pour ma part rejeté les propositions de collaboration à un livre ou à un film, tout en laissant les Rowe libres d'accepter les offres qu'ils jugeaient intéressantes. D'après ce que j'avais pu lire dans les journaux, ils avaient vendu les droits de notre histoire pour une somme rondelette. Quant à la sœur de Lane Dockery, elle avait décidé de rédiger sa propre version des faits.

Lorsque Randy fut enfin sanglé, toute sa combativité parut le déserter d'un coup. Les assistants inclinèrent la table sur laquelle il était allongé afin de lui permettre de nous voir à travers la vitre. Il considéra chaque témoin tour à tour et j'entendis Pritchett le maudire une dernière fois. Puis le regard de Randy se posa sur moi. Sans doute voulut-il sourire mais l'embout de caoutchouc glissé dans sa bouche transforma sa tentative en rictus grimaçant.

Ce sourire, ce fut moi qui le lui adressai. À aucun moment je ne le quittai des yeux quand un assistant mit en place la perfusion puis pressa le piston de la première seringue, celle qui contenait les sédatifs. Je voulais que mon visage soit la dernière vision qu'il emporterait en enfer.

Son expression refléta toute la tristesse et la terreur qui l'envahissaient durant ses ultimes instants de vie, jusqu'au moment où les produits commencèrent à faire effet, où ses traits crispés se relâchèrent. L'assistant injecta alors les autres substances dans la perfusion, celles qui devaient le paralyser et finalement arrêter son cœur.

215

Quelques minutes s'écoulèrent encore avant que sa poitrine ne cesse de se soulever. Puis un médecin confirma le décès.

2 Deux mois plus tard, assise dans le parc Pullen en compagnie de Jeanine Dockery, je regardais les enfants jouer sous le soleil. Jeanine était arrivée en ville le matin même et devait se rendre à New York le lendemain pour voir son éditeur. La douceur de l'air me rappelait le jour où j'avais retrouvé Duane et Carolyn Rowe dans ce même parc l'hiver précédent. Il s'était passé beaucoup trop de choses depuis cette rencontre ; aujourd'hui, Carolyn et moi ne nous téléphonions plus que rarement et je n'avais plus le moindre contact avec Duane. Après le retentissement médiatique donné à l'affaire Carson Beckman, il leur était difficile de conserver l'anonymat dans leur profession, aussi avaient-ils renoncé au travail de terrain pour gérer une petite équipe de détectives privés, constituée essentiellement d'anciens officiers de police que Duane connaissait personnellement. Carolyn m'avait appris que l'inspecteur Matthews avait démissionné pour rejoindre leur agence.

« Ils sont doués dans leur métier, déclara Jeanine lorsque je l'eus mise au courant. Et ils m'ont bien aidée pour mon livre. » Elle était plus avenante que sa voix ne me l'avait laissé supposer au téléphone. À cinquante-huit ans, mince, les yeux noisette et les cheveux auburn, elle était de ces femmes mûres auxquelles les rides d'expression confèrent un charme supplémentaire. Et je trouvai son timbre éraillé finalement assez agréable à entendre alors qu'elle évoquait la future publication de son ouvrage. Elle en parlait toujours comme du « livre de Lane », mais je savais par Carolyn qu'elle avait pratiquement tout rédigé elle-même.

« Désolée de ne pas vous avoir apporté ma contribution, dis-je. Vous comprenez, j'avais besoin d'oublier. »

Elle haussa les épaules puis lécha sa crème glacée en faisant attention de ne pas tacher son pantalon rose. La tête tournée vers les balançoires, elle murmura : « Merci encore de m'avoir autorisée à faire la connaissance de Hayden. J'avais besoin de voir que la vie avait triomphé, que la mort de Lane avait permis de sauver quelqu'un… »

Dans l'une des dernières lettres que Randy avait adressées à Carson Beckman, il mentionnait les «ultimes dispositions prises concernant la propriété de l'écrivain». Il ajoutait que la vue paraissait spectaculaire mais que Carson aurait dû «s'éloigner davantage des limites de son territoire». Après la mort de Carson, Jeanine et tout un groupe de policiers de l'Illinois avaient passé au peigne fin le quartier autour de l'appartement loué par Carson. En vain. Ils avaient ensuite quadrillé la banlieue où vivaient son oncle et sa tante. À environ cinq kilomètres de leur maison se trouvait un chantier abandonné après que les défenseurs de l'environnement avaient intenté des poursuites contre les promoteurs, qu'ils accusaient de vouloir sacrifier un sanctuaire d'oiseaux. Une partie du terrain avait déjà été aplanie au bulldozer et certaines fondations avaient été creusées. Le corps de Lane Dockery avait été découvert dans l'une des excavations, sous un tas de gravats. Il avait eu la gorge tranchée, et à la place de ses yeux le meurtrier avait inséré des pages roulées, arrachées à l'un de ses livres. Cette nouvelle m'avait profondément attristée même si je me rappelais lui avoir souhaité du mal. Après tout, il avait seulement voulu raconter ce qu'il considérait comme une histoire fascinante...

Apparemment, c'était aussi l'avis des lecteurs. La version donnée par Jeanine de l'affaire Randy Mosley/Carson Beckman ne paraîtrait officiellement que deux semaines plus tard, mais c'était déjà un best-seller sur Amazon et d'autres sites qui avaient la possibilité de le distribuer en avant-première. Elle m'en informa sans fierté particulière, comme si elle voulait surtout m'avertir que la publicité autour de l'ouvrage serait peut-être difficile à supporter. Mais j'avais beau lui avoir confié mon besoin d'oublier, je savais que ce n'était plus une option depuis longtemps.

«Il a l'air d'aller bien malgré ce qu'il a subi, dit Jeanine, qui regardait toujours Hayden.

— Oh, ce n'était pas le cas au début... Même s'il n'a pas été blessé, il a dû rester à l'hôpital quelques jours, le temps de se remettre du choc. Aujourd'hui, il a encore des cauchemars et nous sommes tous les deux suivis par un thérapeute.» Je n'aurais pu dire si les séances avec le psy recommandé par l'hôpital me faisaient du bien ; en tout cas elles semblaient bénéficier à mon fils. Il avait repris l'école et rattrapait peu à peu les cours qu'il avait manqués pendant l'hiver, quand je l'avais gardé à la maison après l'enlèvement. Pour le moment, avec Caleb McPherson et d'autres enfants, il jouait à la balançoire. Quand je lui criai de faire attention, il me répondit « Oui, m'man ! » avant de s'élancer encore plus haut dans les airs. Pleine d'appréhension, je me frottai nerveusement les mains.

Jeanine Dockery se pencha vers moi, un sourire rassurant aux lèvres. « C'est bon signe qu'il n'ait pas peur », affirma-t-elle.

J'aurais voulu la croire. J'aurais voulu croire au pouvoir du courage dans un monde si souvent effrayant. Malheureusement, j'avais ignoré que la peur est parfois bonne conseillère et je payais toujours aujourd'hui le prix de cette négligence. « J'essaie de trouver une limite raisonnable entre la prudence et la paranoïa, répondis-je. C'est dur…

— Ça, je m'en doute ! répliqua-t-elle, et nous partîmes toutes les deux d'un petit rire. Hayden et vous, vous en avez appris plus long sur le mal que vous n'auriez dû, d'accord. Mais il n'y a pas que ça ! Regardez tous ces enfants autour de vous… Songez que vous êtes là aujourd'hui, vivante et guérie de vos blessures, au moins physiques. C'est une chance immense ! Votre petit garçon en est une aussi. Maintenant, il ne dépend que de vous de savoir profiter du bonheur qui vous a été accordé. »

La gentillesse de ses propos me bouleversa au point que je ne pus retenir mes larmes. Jeanine, que je commençais décidément à beaucoup apprécier, me tendit un mouchoir sorti de son sac et s'éloigna pour me laisser le temps de me ressaisir. Je la vis s'approcher des deux garçons, dire à Caleb de s'asseoir sur la balançoire voisine de celle de Hayden puis les pousser tour à tour. C'était une bonne chose qu'elle ait achevé l'ouvrage de son frère, pensai-je.

Quand mon téléphone portable sonna, je le retirai de la poche de mon short. Le numéro sur l'écran me révéla que l'appel provenait de Data Managers. Dans la mesure où j'avais pris ma journée, je devinai sans peine qui essayait de me joindre. Jim Pendergast, mon patron, s'était fait plus pressant depuis que j'avais recommencé à travailler. Nous avions déjeuné ensemble à plusieurs reprises et il n'avait de cesse d'insister pour que je dîne avec lui. Jusque-là, je m'étais dérobée sous prétexte que j'avais du mal à trouver une baby-sitter pour Hayden ; en réalité, je ne me sentais pas encore prête à confier mon fils à une inconnue, ne serait-ce que quelques heures. Mais en le regardant sur la balançoire ce jour-là, riant et s'élevant vers le soleil comme pour prendre son envol, je décidai qu'il était temps d'accepter l'invitation.

Dans la même collection

Darian North
  Violation
  Vapeur de Lune
  Voleur d'âmes
  L'Affaire Lenore Serian

Barbara Parker
  Justice cruelle
  Une sale affaire
  Procès d'intention
  La Voix du mensonge
  Traîtrises et trahisons
  Un soupçon de malveillance
  Vengeance amère
  Furie meurtrière
  Mensonges et Illusions

Claire Rainwater Jacobs
  L'Ange meurtrier

Danuta Reah
  Le Triomphe de la mort

Judith Summers
  Crime et ravissement

Nancy Taylor Rosenberg
  La Vengeance des condamnés

Ken Wood
  La Peau de Sharon

Kim Wozencraft
  Entre deux feux

Achevé d'imprimer par Corlet, Imprimeur, S.A. - 14110 Condé-sur-Noireau
N° d'Imprimeur : 114209 - Dépôt légal : août 2008 - *Imprimé en France*